新时代中国教育战略研究丛书　　丛书主编　郅庭瑾　朱益明

中国教育体制机制改革研究

郅庭瑾　主编

华东师范大学出版社
·上海·

图书在版编目(CIP)数据

中国教育体制机制改革研究/郅庭瑾主编.—上海:华东师范大学出版社,2020
(新时代中国教育战略研究)
ISBN 978-7-5760-0980-4

Ⅰ.①中… Ⅱ.①郅… Ⅲ.①教育体制改革-研究-中国 Ⅳ.①G521

中国版本图书馆CIP数据核字(2020)第210672号

新时代中国教育战略研究丛书
中国教育体制机制改革研究

主　　编　郅庭瑾
责任编辑　彭呈军
责任校对　吕安轩　时东明
装帧设计　卢晓红

出版发行　华东师范大学出版社
社　　址　上海市中山北路3663号　邮编200062
网　　址　www.ecnupress.com.cn
电　　话　021-60821666　行政传真021-62572105
客服电话　021-62865537　门市(邮购)电话021-62869887
地　　址　上海市中山北路3663号华东师范大学校内先锋路口
网　　店　http://hdsdcbs.tmall.com

印 刷 者　上海华顿书刊印刷有限公司
开　　本　787×1092　16开
印　　张　14.25
字　　数　226千字
版　　次　2021年1月第1版
印　　次　2021年1月第1次
书　　号　ISBN 978-7-5760-0980-4
定　　价　48.00元

出 版 人　王　焰

国家教育宏观政策研究院智库建设成果书系二：新时代中国教育战略研究丛书

新时代中国教育战略研究丛书
序

习近平总书记指出,"'两个一百年'奋斗目标的实现、中华民族伟大复兴中国梦的实现,归根到底靠人才、靠教育"。改革开放四十年特别是党的十八大以来,党中央一直十分重视教育事业的发展,先后提出并实施了科教兴国战略、人才强国战略和创新驱动发展战略,把教育放在优先发展的战略位置上,全面深化教育改革,大力推进教育事业发展,建成了世界上最大规模的教育体系,使我国教育迈进世界中上行列,为我国社会主义现代化建设事业提供了坚实的人才支撑和智力保障,促进了我国由人口大国向人才资源大国的转变,为加快教育现代化和建设教育强国奠定了坚实的基础。但是,目前我国教育还明显存在发展不平衡、不充分的问题,教育质量特别是人才培养质量相对滞后于教育规模的扩张,教育体系和人才培养体系还不完善,教育结构不能完全适应经济社会发展需要,一些不利于教育发展的体制机制障碍明显存在,教育对外开放与合作办学的水平有待提高,优质教育资源不足,区域、城乡、校际、不同群体之间的教育差距还比较明显,高水平教师队伍建设相对滞后,等等。总体上看,我国教育还不能完全满足人民群众对教育的需求和建设社会主义现代化强国的需要。尽管我国与世界教育强国的差距在不断缩小,但大而不强是我国教育的现状。习近平总书记在党的十九大报告中指出,"优先发展教育事业。建设教育强国是中华民族伟大复兴的基础工程,必须把教育事业放在优先位置,加快教育现代化,办好人民满意的教育"。办好人民满意的教育,是深入贯彻以人民为中心的发展思想的具体体现,只有办好人民满意的教育,才能为实现中华民族伟大复兴的中国梦提供源源不断的智慧支持。"教育兴则国家兴,教育强则国家强。"党的十九大作出了在全面建成小康社会的基础上到 2035 年基本实现社会主义现代化,到本世纪中叶把我国建成富强民主文明和谐美丽的社会主义现代化强国的战略安排,为新时代中国特色社会主义发展和中华民族伟大复兴,展现了光明前景,指明了前进方向。"时代越是向前,知识和人才的重要性就愈发突出,教育的地位和作用就愈发凸显。我国正处于历史上发展最好的时期,但要实现'两个一百年'奋斗目标、实现中华民族伟大复兴的中国梦,必须更加重视教育,努力培养出更多更好能够满足党、国家、人民、时代需要的人才。”建设社会主义现代化强国、实现中华民族伟大复兴中国梦，对新时代我国教育提出了新的使命和要求，迫切需要“对加快推进教育现代化、建设教育强国作出总体部署和战略设计”。

华东师范大学国家教育宏观政策研究院（又名教育经济宏观政策研究院，以下简称宏观院）以提高教育决策科学化、民主化水平，促进中国教育治理体系和治理能力现代化为目标；以促进国家现代化进程，完善中国特色社会主义现代化教育体系，促进教育公平，提高教育质量，办好人民满意的教育和建设人力资源强国为价值追求；以国家宏观政策和教育发展战略研究为重点；以教育整体规划与综合改革为突破口；以战略问题和教育政策为主要研究对象；以服务党和政府科学、民主、依法决策为宗旨，结合国家改革与发展中的重大理论及现实问题，多年来一直致力于发展高质量的咨政建言、理论创新、舆论引导、社会服务、公共外交和集贤育人等教育智库功能，着力打造服务国家宏观决策的思想高地和有世界影响力的中国智库品牌。

宏观院“教育智库建设成果”书系遵循“直面问题、贴近实践、服务政策、深度透析”的基本原则，把我国当前教育改革与发展中的关键问题作为研究的中心；以政策分析的视野集中审视中国教育改革与发展中所呈现的新现象与新问题。“新时代中国教育战略研究丛书”是宏观院“教育智库建设成果”书系第二辑，由《新时代区域教育现代化发展研究》《上海教育 2035 战略规划研究》等八本书构成。宏观院组织教育领域专家，就十九大报告中提出的部分重要教育命题开展系统论述和科学解读，并在此基础上编写本套丛书，丛书旨在引导全社会更好地学习十九大关于教育的论述，为政府教育决策提供可选择的观点与建议，为推进教育政策研究提供参考。“新时代中国教育战略研究丛书”的编写原则为：体现学习十九大报告的成果，以新时代中国特色社会主义思想和基本方略为理论指导；重点关注宏观性和战略性教育议题，关注影响教育改革与发展的重要现实问题；注重解决问题的观点与建议的阐述。

本套丛书立足国情，主动服务党和国家工作大局，紧紧围绕党和政府决策急需解决的重大问题，开展了一系列具有前瞻性、针对性、储备性的政策研究，提出了专业化、建设性、切实管用的政策建议。宏观院将始终站在国家宏观战略的高度，以国家重大需要为导向，从经济、产业、区域、社会等多角度全方位地对教育问题开展系统研究、跟踪研究、长期研究、深入研究，不断拓宽研究的广度和深度，全面对接国家和经济社会对教育发展的需求，为国家宏观和全局教育决策提供支持，为国家教育决策科学化和治理现代化提供专业支撑。

目录

第五章 另一种类型的教育：职业教育如何发展 83

前言

《中国教育体制机制改革研究》是《国家教育宏观政策研究院智库建设成果书系·新时代中国教育战略研究丛书》中的一本。国家教育宏观政策研究院(以下简称宏观院)是教育部与上海市人民政府共建、华东师范大学与上海市教育科学研究院联合承建的国家教育智库。2020年,宏观院入选首批上海市重点智库,为教育领域内唯一一家。建院以来,宏观院始终秉持高端教育智库的定位,全面对接国家、区域教育与社会需求,坚持"直面问题、贴近实践、服务政策、深度透析"的政策研究理路,根据教育事业发展规律,持续产出高水平决策咨询成果,为国家和上海市教育决策提供专业支撑。

国家教育宏观政策研究院先后创刊《教育宏观政策专报》《教育发展信息与观察》《国际教育观察》三份内参刊物,三份刊物定位、视角、内容各不相同,但又相互补充、相互支撑,是宏观院作为智库的主要成果载体,也是智库支持决策的重要渠道。其中,《教育发展信息与观察》主要立足国内教育改革与发展的实践情境,从当下正在发生的,或广受关注的热点问题出发,即以现实问题或关键问题为逻辑起点,遵循"政策解读—历史沿革—发展成就—存在问题—境内外经验借鉴—观察与思考"的基本线索,试图对一个个问题进行完整梳理和深度剖析,为决策者提供信息参考和专业依据。本书正是以《教育发展信息与观察》为基础,将一个阶段以来的前期研究和积累进行整合,汇编为《中国教育体制机制改革研究》公开出版。

教育体制机制改革是非常经典的教育管理研究问题,在学术界已经有多年的分析和探究,但"体制""机制"这些概念的内涵和边界究竟如何理解,在教育领域中究竟如何存在并发挥作用,至今仍令很多教育理论和实践者倍感困扰。

根据已有研究可知,教育体制是教育制度的总称,是教育规范和教育机构的统一,包括办学体制、教育管理体制、招生制度等部分。教育体制受社会的人文环境、社会经济发展状况、社会成员的教育观念与就业水平以及教育政策等因素影响。教育体制问题的本质是以高标准化、程序化和规范化为特点的制度化教育,从根本上反映着一个国家制度化教育的状况。时至今日,新中国教育从解放区教育经验和“以俄为师”的苏联教育经验出发，历经曲折和弯路，取得了长足的进步和巨大的成果，充分释放了制度化教育的红利。与此同时，也因日趋制度化的统一、封闭和保守而面临反思和改革。当前我国教育体制存在的主要问题在于：第一，各级各类教育特别是普通教育和职业教育之间的衔接和沟通缺乏必要的制度和政策保证。长期以模式单一的普通学历教育为主，职业教育专业面较窄、与普通教育呈割裂状态。第二，部分类型学校功能定位不清，中等职业学校以及高等学校不同程度地存在与我国社会发展需求脱节的问题。受长期以来计划经济的影响，教育结构和学校的功能定位远不能适应与满足社会经济发展的多样化需求，创新人才严重不足，技术应用型人才被轻视。第三，非正规教育尚未摆脱学历化倾向，无法满足终身教育和社会发展对教育多样化的要求。这不仅严重影响了非学历教育的应有发展，也加剧了社会恶性竞争和人力资源的极大浪费。第四，教育结构体系的调整尚未形成在政府宏观指导下面向社会自动调节的机制。教育行政的指令性角色未能实现根本转变，各级各类学校依法自主根据劳动力市场情况合理调整培养目标、规模和发展速度的办学模式尚未形成。总之，今天讨论教育体制问题的核心不是放弃制度化教育，而是改革不利于中国教育现代化发展的阻碍因素，不断完善制度化教育。

教育机制，则是指影响教育发展的诸事物间的相互关系及其运行方式。教育体制的落实需要机制来配合实施、保障运行。按层次分，教育机制有宏观、中观和微观；按形式分，教育机制有行政—计划式、指导—服务式、监督—服务式；按功能分，教育机制有激励机制、制约机制和保障机制。作为影响事物内在关系和运行方式的机制可以用制度的形式加以表达或规定，因此教育机制的改革通常都是通过制度创新来实现的。学界一般认为，我国教育体制的改革需从以下机制创新着力。第一，健全政府调控和社会参与机制，增强决策科学化和民主化。各级政府要依法承担制定教育法规和教育标准，指导教育发展、教育投资和结构调整的主要责任。要加强学校与企业、社会的密切合作，共同参与教育结构调整和运行状态的监督评价。要充分发挥市场在教育结构调整中的资源配置作用，建立以社会发展需求为导向的教育结构运行和调节机制。第二，健全职业资格准入制度和职业（执业）资格证书制度。加强教育结构体系与就业结构之间的有机联系，实行学业（学历）证书和职业（执业）资格证书并重的制度。按照劳动预备制度的要求，对未能升学的初中和高中毕业生进行一定年限的必要的职业培训。地方政府在统筹当地教育资源的条件下，可以举办综合性的职业技术学院或社区学院。第三，改革社会用人制度和毕业生就业制度。政府教育部门、学校和社会有关中介机构应为学生在报考有关专业时及在校和毕业期间提供多种形式的就业信息指导和咨询服务。社会用人和毕业生就业制度，实施现代人才管理制度，建立以实际能力和业绩为中心的人才评价和流动制度，淡化户籍、档案、行业、地域等方面的限制。充分发挥社会中介机构的职能，从微观运作层面保证教育结构调整的健康发展。

本书摒弃了传统著述中执着于概念辨析和理论探讨的思路，转而面向教育改革与发展过程中的现实问题，对一个个真实问题进行剖析和破解，进而揭示体制机制在教育领域中的存在及作用方式。即，全书以“中国教育体制机制改革”为分析和阐释问题的逻辑主线，以“教育现代化”“教师队伍建设”“‘双一流’建设”“新高考改革”“职业教育”“教育扶贫脱贫”“国际教育政策趋向”等为关键词，将对教育体制机制改革的分析与论述嵌入到上述关键问题之中，进而反映当前我国教育体制机制改革的现状、存在的问题以及未来的发展方向。

这一思路的最初来源，与 2017 年 9 月 24 日中共中央办公厅、国务院办公厅印发的《关于深化教育体制机制改革的意见》密不可分。党的十九大明确了我国发展进入新时代，做出了“我国社会主要矛盾已经转化为人民日益增长的美好生活需要和不平衡不充分的发展之间的矛盾”的重大判断，《关于深化教育体制机制改革的意见》则聚焦体制机制，回应了教育领域的一系列重点、难点和热点问题，针对性地提出了改革举措。2017 年 10 月 31 日，国家教育宏观政策研究院举办了十九大后中国教育体制机制改革专题研讨会，专家学者就学习贯彻党的十九大精神，聚焦教育体制机制改革的重点、难点、热点问题深入探讨。在研讨中，我们深切地体会到，教育的体制和机制并非是抽象的概念或深奥的理论，它真实地蕴含在对每一个具体的教育现实问题的破解之中，有时候，它甚至就是那一个个由来已久的重大问题、现实问题和实际问题本身。

教育体制机制改革实质上就是要理顺政府、学校、社会三者之间的关系。尽管《关于深化教育体制机制改革的意见》在政策设计理念层面为创建现代教育制度、建立现代学校体系和全面推进素质教育描绘出了宏伟蓝图，也对许多重大问题做出了明确回应，但仍存在一些尚未逾越的障碍以及短时难以克服的沉疴积弊。这些问题催促我们去反思和破解。比如，与“教育优先发展”相匹配的体制机制是什么？党的十九大再一次重申了“建设教育强国是中华民族伟大复兴的基础工程，必须把教育事业放在优先位置，深化教育改革，加快教育现代化，办好人民满意的教育”。这里的“优先”显然不是教育跟自己比，而是相对社会其他行业和领域。那么，与“优先”相匹配的体制机制亟需明确内涵——是办学机制的提升？是教育内涵的升级？还是经费拨款体制的变更？诸种变量因素如何协调？“人民满意的教育”中的“人民”如何理解？又如何界定“满意”？是教育不参与社会分层而带来的人人平等、人人满意？是人人都从精英教育中获得的满足？还是因教育而获得的良好教养的满足？再如，与“立德树人”相匹配的体制机制是什么？十九大提出的“全面贯彻党的教育方针，落实立德树人根本任务”，意在强调德育的重要性。问题是所“立”之“德”如何清晰规范而不至于使德育陷于一个“框”，致使道德教育、思想政治教育、行为品行教育、心理教育、青春期教育等都可以往里装。“培养德智体美劳全面发展的社会主义建设者和接班人”的教育体制机制何以取得真正的突破？又如“推动城乡义务教育一体化发展，高度重视农村义务教育”是十九大提出的重大战略定位，与之相匹配的体制机制是什么？是实施“基准化的义务教育战略”还是强化转移支付策略？或者加大东西部教育联动？在现有城乡社会格局下确保教育公平的突破点在哪里？目前的教育资源足以“普及高中阶段教育”了吗？何种普职结构是我们可以达成的“普及”目标？要实现这样的目标，既有的教育体制机制如何创新？还有“产教融合”“高等教育内涵式发展”等十九大提出的诸多教育发展目标，都需要深入到体制机制层面进行追问，才能切实找到优先发展教育事业的路径。

《关于深化教育体制机制改革的意见》肯定了党的十八大以来，党和国家在教育事业上取得的主要成就，并指出新阶段深化教育体制机制改革的主要目标是：到2020年，教育基础性制度体系基本建立，形成充满活力、富有效率、更加开放、有利于科学发展的教育体制机制，人民群众关心的教育热点难点问题进一步缓解，政府依法宏观管理、学校依法自主办学、社会有序参与、各方合力推进的格局更加完善，为发展具有中国特色、世界水平的现代教育提供制度支撑。改革应坚持扎根中国与融通中外相结合、目标导向与问题导向相结合、放管服相结合、顶层设计与基层探索相结合的基本原则。总体而言，教育体制机制改革的目标，从不同维度体现不同的价值追求。

从受教育者的维度，要构建更有利于学生培养的体制机制，即健全立德树人系统化落实机制。“国无德不兴，人无德不立。”近年来，我国大中小学德育工作取得积极成效的同时，还存在不同年龄段德育衔接不畅、实效性不高等问题。《关于深化教育体制机制改革的意见》提出要构建以社会主义核心价值观为引领的大中小幼一体化德育体系，要求针对不同年龄段学生科学定位德育目标，合理设计德育内容、途径、方法，使德育层层深入、有机衔接，推进社会主义核心价值观内化于心、外化于行。提出培养学生终身发展、适应时代要求的关键能力，包括认知能力、合作能力、创新能力和职业能力。切实减轻学生过重的课外负担，提高课堂教学质量，健全课后服务制度，改善家庭教育，规范校外教育培训机构，营造健康教育生态。

从教育者的维度，要构建更有利于教师成长的体制机制，健全加强师德建设的长效机制，把职业理想、职业道德教育融入培养、培训和管理教师的全过程，构建覆盖各级各类教育的师德建设制度体系。完善中小学教师绩效工资制度，改进绩效考核办法，使绩效工资充分体现教师的工作量和实际业绩，确保教师平均工资水平不低于或高于当地公务员平均工资水平。落实艰苦边远地区津贴、乡镇工作补贴，以及集中连片特困地区和艰苦边远地区乡村教师生活补助政策。开启从制度设计层面促进师资流动、推动教育公平的新局面。

从教育机构的维度，要构建更有利于各级各类教育健康发展的体制机制，创新学前教育普惠健康发展的体制机制。强调要鼓励多种形式办园，提供面向大众、收费合理、质量合格的普惠性服务。加强科学保教，遵循幼儿身心发展规律，坚持以游戏为基本活动，合理安排幼儿生活作息，坚决纠正“小学化”倾向。健全职业教育“德技并修、工学结合的育人机制”和“产教融合、校企合作的办学模式”。通过校企深度合作、建设实训基地、打造优势特色专业群等途径，深入推行项目教学、案例教学、情境教学等方法，着力培养学生的工匠精神、职业道德、职业技能和就业创业能力。创新高等教育人才培养机制。通过完善健全学科专业动态调整机制、加强教材建设、重视通识教育、探索弹性学制、引入现代信息技术、鼓励创新教学、深入推进协同育人等方式方法，不断激发和增强学生学习自主权，全面提升高等教育的育人能力和水平，培养出一批适应国家经济社会发展需要的创新型、复合型、应用型人才。

本书既对教育体制机制的理论内涵和逻辑机理充分关注，也对教育体制机制改革的整体系统和完整框架保持理性清醒。同时，更以现实问题为线索，对相关的理论问题和逻辑系统构建提供鲜活的发展实践素材与案例支撑。具体而言，全书在主要内容上作如下安排。

第一章，教育引领未来：教育现代化问题聚焦——回顾中国教育现代化的历史沿革。辨析教育现代化的几个相近概念，指出我国教育现代化进程中的现实问题，介绍改革开放以来教育现代化进程及其经验，提出未来教育现代化的发展方向与路径。

第二章，人才是根本：新时代教师队伍建设的体制机制创新——解读《关于新时代全面深化教师队伍建设改革意见》《教师教育振兴行动计划(2018—2022年)》两个政策文本，借助高校就业情况报告，了解教师在就业市场上的吸引力；选取"教师教学国际调查(TALIS)""中国教育追踪调查(CEPS)"等资料，就教师的工作时间、工作任务和生活、工资收入等状况反映教师的工作和生活状态；略览芬兰与中国香港地区的教师职业发展情况，介绍境外经验。梳理专题研讨会相关论点，分析教师队伍发展中的问题，提出教师体制机制的改革思路。

第三章，"双一流"能否五年建成：高等教育体制机制问题——解读"双一流"的政策内涵，回顾高等教育重点建设的经验与教训，指出高等教育发展中的问题；立足本国实际，参考各方舆情，检视世界一流大学建设经验和国外一流学科建设经验，提出对"双一流"建设的新思考。

第四章，牵一发如何动全身：聚焦新高考改革——审视高考的功能定位。回顾历次高考改革目标和目标偏离原因，透视新高考改革试点的创新与突破，分析浙沪新高考改革中的问题，观察韩美两国高校招生考试的历史和现状，为高考改革的下一步推进提供借鉴。

第五章，另一种类型的教育：职业教育如何发展——明确职业教育的功能。总结我国职业教育层次结构演变的经验与启示，指出我国职业教育层次结构存在的问题；借鉴中国台湾地区与美国的职业教育经验，对未来我国职业教育发展提出新的思考。

第六章，抬高底部："三区三州"教育精准扶贫脱贫。介绍"三区三州"的经济和社会发展状况，总结当地教育精准扶贫的实践形式和内容；分析教育精准扶贫存在的主要问题，介绍中外教育精准扶贫案例的经验和教训，指明未来教育精准扶贫脱贫的推进方向和应注意的问题。

第七章，国际视野：探寻全球教育变革中教育政策之方向。介绍全球教育发展面临的变革，总结中国教育改革进展与经验，探讨世界教育发展趋势，结合已有研究和我国实践，提出未来的发展思路。

第八章，改革开放40年高等教育政策回顾与解读——回顾40年高等教育走过的历程，介绍高等教育政策发展的导向与举措、承续与变革，分析高等教育政策发展中的特点和存在的问题。

第九章，改革开放40年基础教育政策回顾与解读——回顾40年基础教育政策的发展历程，总结基础教育政策的发展成就，透析基础教育发展的驱动力量，分析发展中的瓶颈与问题，提出对相关政策的展望及发展建议。

第十章，改革开放40年职业教育政策回顾与解读——分阶段对40年来职业教育发展政策进行解读，指出职业教育面临的问题与挑战，总结德国双元制职业教育模式、澳大利亚TAFE职业教育体系、英国现代学徒制等职业教育政策经验，为我国职业教育发展提供参照。

全书得以顺利完成是团队成员齐心协力的结果。上海师范大学吴国平副教授（兼任宏观院成果传播中心副主任），在《教育发展信息与观察》创刊阶段和我一起担任主要策划，对该刊物的定位、宗旨和内容、风格进行了总体设计，并在日常工作中负责稿件的编撰、编辑等工作。在汇编本书的过程中，他也从框架和思路方面给予了大量指导。下列同志既是《教育发展信息与观察》创刊阶段的核心工作团队，也为本书提供了初稿或基础材料：刘纪蕊、严凌燕、李世奇、包丹妮、姜蓓佳、杜晓馨、丁亚东、张顾文。在统稿过程中，姜蓓佳协助校对排版、订正错误等。在此一并致以诚挚的感谢！

由于本书以《教育发展信息与观察》汇编而成，而作为报送决策部门的一份内参刊物，重在凝练而简洁地提供信息、事实、数据和观点，因而未严格遵循学术刊物引证注释的规范要求，尤其是，受制于刊物的篇幅和字数，很难在文中一一罗列、注明所有的引文来源和出处。但我们对学术规范的遵守和敬畏之心坚定不变。在成书过程中，尽可能用全面罗列参考文献的方式展现前人或已有研究对我们的借鉴和启发，但还是难免遗漏。在此一并说明并衷心致谢！最后，受制于时间和精力，尤其是研究的水平和能力，本书的不足之处还有很多，恳请同仁和读者批评指正。

国家教育宏观政策研究院执行院长　郅庭瑾
2020年7月20日

第一章
教育引领未来：教育现代化问题聚焦

从1904年清政府颁行癸卯学制，到党的十九大提出“加快教育现代化，办好人民满意的教育”，中国的教育现代化历经百余年波澜壮阔的峥嵘岁月。虽历经艰辛，但成就卓著。教育的现代化发展，不断促进中国人的现代化和中国社会的现代化，人民对满意的教育获得感得到显著增强。

中国现代化的核心是国家的现代化和人的现代化，而国家和人的现代化的实现需要借助教育的现代化。“十三五”时期，教育现代化进入全面攻坚阶段。按照十九大的战略规划，从2020年到2035年，要基本实现社会主义现代化；从2035年到本世纪中叶，要把我国建成富强民主文明和谐美丽的社会主义现代化强国。建设教育强国是中华民族伟大复兴的基础工程，必须“加快教育现代化”。

教育现代化是个历史范畴，从一定意义上说，1905年新学的开启，中国教育便逐步进入现代化进程中。百多年来，中国的教育现代化之路并不平坦，它不断在“中国需要什么教育”和“可能施行什么教育”的张力之间寻求一种平衡。

第一节　中国教育现代化历史沿革

一、酝酿新中国的现代教育

以1904年癸卯学制改革、1905年新学的实施为标志，我国开启探索现代教育的征程，批判和改造封建文化传统是现代教育的出发点和基本任务。20世纪初的中国面临救亡图存的现实压力，从政府到社会对发展新学具有急切的功利主义特征。这一时期，虽未明确提出“教育现代化”的命题，但在先后向日本、美国教育的学习过程中，引入现代教育思想，初步建立起现代学制，形成课程与教学的雏形。总体而言，20 世纪上半叶的教育变革，以欧美教育为蓝本，迅疾推动了中国教育的现代化，同时也留下“食洋不化”的经验和教训。

二、建国后十七年的教育建设

新中国成立后，教育现代化之路转向以苏联教育为榜样，完成了对以欧美教育为基础的旧中国教育的改造，初步形成了有社会主义特点的现代教育格局，包括教育思想的确立、学制的改造、各级各类教育组织及其功能的形成、教学内容与形式的完善以及社会用人体制等的配套，初步形成了教育为社会主义国家建设和人的发展奠基的功能。

三、改革开放后的教育现代化

“文革”结束之后，党和国家提出要实现“工业、农业、国防、科学技术”的“四个现代化”，其中虽未明确提出教育现代化问题，但此后不久，1983 年邓小平关于教育要“面向现代化，面向世界，面向未来”的题词引发全国讨论，教育现代化随之成为教育改革和发展的一个重要问题。1993 年《中国教育改革和发展纲要》指出要在未来建立成熟和完善的社会主义教育体系，“实现教育的现代化”。**“教育现代化”首次出现在国家层面的教育改革文件中**。

进入新世纪，随着国家的发展逐渐进入知识经济时代，教育的发展处于战略机遇期。建设社会主义现代化国家，必须有科技支撑、人才保障，而教育是基础。2000 年 10 月，党的十五届五中全会通过的“十五”计划，提出将“提高教育现代化、信息化水平”作为国家重大建设任务，但当时仅聚焦于现代远程教育。此后的“十二五”规划进一步指出，要“深入实施科教兴国战略和人才强国战略，充分发挥科技第一生产力和人才第一资源的作用，提高教育现代化水平，增强自主创新能力，壮大创新人才队伍，推动发展向主要依靠科技进步、劳动者素质提高、管理创新转变，加快建设创新型国家”。进入“十三五”时期，国家将“推进教育现代化”作为重要目标，要求到2020年“教育现代化取得重要进展，教育总体实力和国际影响力显著增强，推动我国迈入人力资源强国和人才强国行列，为实现中国教育现代化2030远景目标奠定坚实基础”。

第二节　教育现代化的概念与维度

一、现代化与教育现代化

我们可以从“现代化”和“现代化教育”两个与教育现代化相近的概念，来进一步了解教育现代化。

（一）现代化

“现代化科学”是一门新兴的交叉学科，其中以教育的视角来界定“现代化”是当前现代化研究中较受关注的一种方式，强调将教育发展水平作为衡量国家现代化程度的标准。根据过程学派的观点，教育现代化是以教育的发展情况论述其现代化的程度，教育现代化程度同迎合世俗性教育的程度有关，该学派观点承认建立客观性的证据加以验证。哈彼森（Frederick Harbison）和梅耶斯（Charles A. Myers）依据75个国家的教育发展程度（由两个衡量指标组成：一是中学注册人数，在学人数与中学适龄人数（15岁至19岁）的百分比；二为高等教育在学人数与适龄人数（20岁至24岁）的百分比，对国家的现代化发展程度进行排序、赋值。这种分析思维，是一种有益思考。

（二）现代化教育与教育现代化

一般认为，现代化教育是教育发展的目标和结果，教育现代化则是向现代化教育演进的过程。教育现代化的内涵十分丰富，其核心内容可以概括为教育意识（思想、观念）的现代化、教育物质（经费、设备、技术）的现代化、教育制度（教学、管理相关规范）的现代化。相应地，教育现代化的指称特征也不尽相同，一般认为现代化的教育具有科学性、普及性、国际性和终身性。国际教育界主要将教育投入、教育参与和受教育机会、教育成果及产出作为衡量教育现代化的指标；国内多基于对内容或特征的认识来考量教育现代化的发展程度。

二、教育现代化的维度

教育现代化内容十分丰富，一般可以用意识、物质和制度三个方面的现代化来描述教育现代化的核心内容，而这三个方面的现代化也是互相辅助共同促进的，且随国家现代化和教育的发展不断提升。

教育意识的现代化，是指各级各类教育工作者在理念和思想观念上的现代化，它是教育现代化的关键和先导。教育物质的现代化，是指教育数量与规模、经费、设备、技术手段等方面的现代化，是支撑教育现代化的基础条件，也是教育理念和思想的现代化付诸实践的重要途径，教育物质(资源)水平是衡量教育现代化的重要指标。教育制度的现代化，主要包括各级各类教育教学管理制度化、程序化和规范化，教育制度的现代化是教育现代化的保障。

三、教育现代化的指标体系

(一) 国际指标

目前，国际上有三套影响广泛的教育现代化评估指标体系。

世界经济合作与发展组织(OECD)教育指标体系。它采用CIPP分析模式“背景(Context)——投入(Input)——过程(Progress)——产出(Product)”，用一系列指标动态显示，从微观到宏观、从简单到复杂地进行投入产出分析，由人口背景、教育经费、受教育机会、学校的学习环境和组织管理、个人产出和社会产出以及劳动力市场产出、学生成绩六类共31项指标构成。

联合国教科文组织(UNESCO)的教育指标体系。它确立了世界教育指标体系的三个理论框架：第一，将教育与政治、经济、社会、文化、人口的关系作为总的理论前提；第二，将教育供给和需求作为决定一个国家和地区教育发展水平的直接因素；第三，在教育资源供给与需求的均衡过程中，教育质量与公平是教育走向现代化必然要解决的两个问题。这个指标体系由教育供给、教育需求、入学和参与、教育内部效率、教育产出五个部分共21项指标构成。

世界银行(World Bank)的教育指标体系。世界银行在《世界发展报告》中的教育指标由教育投入、受教育机会、教育效率、教育成果、性别与教育五项组成。

仔细比较可以看出，三套指标体系共同关注教育投入、教育的参与和受教育机会、教育的成果及产出。但由于各个指标体系制订的出发点不同，关注的重点也不尽相同，其中世界经济合作与发展组织的指标体系关注教育与社会经济的互动；联合国教科文组织的指标体系较全面地关注教育与社会政治经济文化的协同发展；世界银行则更倾向于把握教育与经济发展的关联。

（二）国内指标

国内对教育发展测评体系的研究始于20世纪80年代中期。近年来的研究多采用定性和定量相结合的方式。在指标体系的构建方式上，主要有三种类型：一是进行国际比较后建立的指标体系；二是参照国际标准并结合本地区的发展情况构建的指标体系；三是按照国内的政策要求并结合实际需要构建的指标体系。

以上三类指标体系（如表1），结合了定量指标与定性指标，基本涵盖教育现代化的3个核心方面和4个主要特征，即意识、物质和思想的教育现代化和教育现代化的科学性、普及性、国际性、终身性特征。

表1　国内教育现代化指标研究

来源	指标体系	备注
殷革兰	教育思想、教育发展水平、教学体系、办学条件、师资队伍以及教育管理的现代化。	对比发展中国家指标。
谈松华	定性指标：教育制度、教育思想与教育观念、教育内容和教育手段与设备、教育管理的制度化和理性化及教育决策的科学化等。 定量指标：15岁以上人口的识字率、平均预期受教育年限、中等教育的毛入学率、高等教育的毛入学率、每10万人口中的高等学校在校生人数、公共教育经费占GDP的比例、人均公共教育经费、教育信息化水平。	国际标准与本土实际相结合；定量指标参照美国社会学家英格尔斯提出的现代化量表。
董众等	教育现代化监测和评价（一级指标）：教育理念、体系建设、投入保障、管理制度、教育普及、教育质量、教育公平及服务贡献。	国内政策要求与实际需要结合，定性定量结合。

第三节　改革开放以来的教育现代化进程及其经验

一、全面推进教育现代化

思想层面。以“三个面向”的学习讨论为契机，深入理清传统教育思想，提出“素质教育”理念，广泛引入现代教育观念及相关理论，包括终身教育思想、全面发展理论、多元智能理论、人力资源理论等，推动了各种教育理论的建构和完善，为教育现代化指明了方向。

制度层面。制定颁布了一系列法律法规，包括普及《义务教育法》《教育法》《高等教育法》《教师法》《青少年保护法》等，以法制的现代化推进教育现代化。变“条块分割”为“条块结合”的教育管理体制，注重中央集权与地方分权相结合，公立教育与民办教育互促进。同时，不断完善教育体制机制，打通不同性质学校组织之间的壁垒，架设并拓宽教育立交桥，增加学制的弹性，以课程改革推进素质教育，不断改进招生选拔体制等，制度化教育日臻丰满和完善。

内容层面。通过合并、扩招、标准化、项目化建设等形式，扩大各级各类学校的办学规模，不断提高受教育者接受教育的年限和水平，保持教育经费持续稳定增长，学校的办学功能不断延展，非学历教育、继续教育、网络教育等与正规教育交相辉映，通过危房改造、“校校通”建设等形式，不断改善办学条件和技术装备，提升教育信息化程度，教师队伍专业化、教师队伍资格高学历化不断加强，终身教师教育体系正在形成。

现阶段，随着《纲要》的颁布实施，教育现代化进程明显加快。民主性、开放性、科学性及个性化空前提升，宏观决策上越来越注重公平性、均衡性；中观管理层面学校体制不断开放且越来越注重与社会的互动，并积极参与国际交流合作；微观上如教学手段等越来越注重多样化和满足受教育者的个性需求。本观察选取了 10 个代表性指标，以 2015 年数据和 2020 年目标指数作为参考，描述现阶段中国教育现代化进程。

表 2　现阶段我国教育现代化主要指标进程

<table>
<tr><th>核心指标</th><th>学段</th><th>2015 年</th><th>2020 年</th><th>国际发展趋势(参照发达国家)</th></tr>
<tr><td rowspan="3">中小学专任教师本科及以上学历比例</td><td>小学</td><td>45.9%</td><td>45%</td><td>99.7%(美国 2003 年)</td></tr>
<tr><td>初中</td><td>80.2%</td><td>95%</td><td>本科 100%(美国 2003 年)</td></tr>
<tr><td>高中</td><td>97.7%</td><td>100%</td><td>本科 100%,研究生 49.7%(美国 2003 年)</td></tr>
<tr><td rowspan="3">中小学生师比</td><td>小学</td><td>17 : 1</td><td>15 : 1</td><td>16 : 1</td></tr>
<tr><td>初中</td><td>12 : 1</td><td>16 : 1</td><td>14 : 1</td></tr>
<tr><td>高中</td><td>14 : 1</td><td>16 : 1</td><td>13 : 1</td></tr>
<tr><td>中小学建网率</td><td>——</td><td>67.7%</td><td>50%</td><td>基本实现</td></tr>
<tr><td>初中阶段毛入学率</td><td>——</td><td>104%</td><td>——</td><td rowspan="2">65%(世行 2015 年中学人学率净百分比)</td></tr>
<tr><td>高中阶段毛入学率</td><td>——</td><td>87%</td><td>——</td></tr>
<tr><td>高等教育毛入学率</td><td>——</td><td>42.7%</td><td>——</td><td>89%(美国 2009 年)</td></tr>
<tr><td>高校留学生比例</td><td>——</td><td>1%</td><td>——</td><td>5%—7%</td></tr>
<tr><td>成人继续教育和培训比例</td><td>——</td><td>9.8%</td><td>——</td><td>18%(OECD 国家 2003 年平均水平)</td></tr>
<tr><td>财政性教育经费占 GDP 比例</td><td colspan="3">2012 年首次达到 4%并保持至今</td><td>13.3%(OECD 国家 2007 年平均水平)</td></tr>
</table>

数据来源:《中国教育统计年鉴》、《中国教育现代化进程研究》、世界银行公开数据;
表中“——”,为暂未查询到相关数据。

综合指标显示,中国教育现代化总体处于一个快速跃升的阶段,部分基本指标接近主要发达国家水平,可认为教育现代化已至半程。

二、半程教育现代化的经验

(一) 教育现代化和社会现代化互为基础、互相成就

教育现代化作为社会现代化的一个重要方面,其发展以社会现代化进程为土壤,分享着社会现代化的成果;同时也因其提升人的现代化而成为实现社会现代化的基础和动力。教育现代化既体现在教育内部,也体现在教育外部;既体现在教育自身,也体现在教育与社会的结合及对社会经济的贡献上。

(二) 兼顾公平效率，因地制宜实现区域均衡

中国不同区域间教育现代化水平的差异具有“两重性”。从各地教育规模反映的入学水平看，差异不太显著；但教育经费投入、高等教育及教育信息化水平等方面却反差巨大。面对深层次的区域不均，中国社会采取因地制宜的策略，根据影响教育发展模式的区位因素（如自然条件、资源类型、对外交流方式），经济因素（如经济发展阶段和发展战略、生产生活方式），科技因素（如产业技术结构），文化因素（如文化传统、民族关系等），教育因素（如教育水平结构、人力资源的开发利用）等具体情况分类指导、分区推进，最终实现区域均衡。

(三) 发挥政府与市场的协同作用

中国教育现代化从伊始便自上而下、由政府主导，政府的现代化意识最初便是定位教育现代化的关键。因此，根据各地实际情况，政府因地制宜发挥与市场协同作用。如市场经济较发达、体制较成熟地区，较多地发挥市场机制调节作用，政府主要来规范市场秩序和行为，帮助处于不利地位群体获得教育公平。经济欠发达、市场经济发育程度较低的地区，政府更多地担起责任，一方面扩大教育资源供给，合理配置有限资源；同时促进市场经济发展，利用市场机制扩大教育资源。

第四节　现代化进程中的现实困境

一、重视教育理念发展，忽视教育实践改革

一个国家的教育改革，首先是理念的改革。可以说，我们现在已经拥有了相对丰富、进步的现代教育理念。但是，理念的现代化无法代替教育实际的现代化。就教育现代化而言，今天我们不缺进步的教育理念，也不缺在理念分析和解读方面所做的各种文章，缺的是对教育实践的真正变革与发展。可以说，我国的教育现状还没有达到我们所提倡的现代化理念要求的程度。

二、重视数据量化，忽视人文关怀

对“现代化”的解读过于偏重指标体系构建，呈现工具量化主义倾向。现代化

的最终目的是促进教育更好地发展，而不是以一个标准化的数字给教育或教育中的人下结论。教育现代化探索应注重科学理性与人文向度的有机结合，理性把握教育现代化进程中的价值重心，实现“以人为本”的价值回归。

三、重视全球化“求同”，忽视中国特色“存异”

半程之中的教育现代化进程主要呈现出“向世界看齐”的特点，重“求同”的现代化，而对自身“存异”的特点缺乏关注。我国教育现代化的发展过程，既不是传统教育的模式，也不是西方现代教育的模式，它是一个更高层次、更高水平上的追求现代教育的过程，以适应国家现代化发展需要的新模式。

四、重视硬件设施建设，忽视“软实力”提升

此前的教育现代化，偏重硬件和设施建设，相对而言教育思想、观念、制度、内容、评价、资金配置和师资的现代化未受到充分关注。教育现代化不单指教育设备等硬件建设的现代化，也要注意软硬结合。当前我国资源配置包括经费配置等还呈现不均衡、不充分的特点；教育体制机制改革仍需进一步深化；师资队伍建设至关重要，要提高教师待遇、给予教师参与学校治理话语权、保障教师权利、加强师德教育，尤其是近期频发的幼师虐童事件表明，师德教育势在必行。这就要求我们在抓好“硬件”建设的同时，还需抓好“软件”建设，以教育思想现代化带动办学条件的现代化。

第五节　我国教育现代化特色分析

一、当前中国教育现代化的短板

本节选取教育现代化的若干主要指标，就“劳动人口平均受教育年限”“劳动年龄人口中高等教育学历比例”“教育支出占 GDP 比重”等指标数据，参照 OECD

国家，世界高收入、高创新指数国家的平均水平，与美国、韩国等主要发达国家进行数据比较与分析。

(一) 中国劳动人口平均受教育年限显著落后于世界发达国家

中国劳动人口平均受教育年限仍远落后于OECD国家以及世界高收入、高创新指数国家的平均水平。2010年，中国25—64岁劳动年龄人口受教育年限为9.04年(全国第六次人口普查数据)，而美国、韩国的这一数值为13.4年和12.7年。

根据《国家人权行动计划(2016—2020年)》，2020年我国劳动年龄人口平均受教育年限将达到10.8年，接近11年，这意味着我国劳动年龄人口将普遍接受高中二年级教育。普及高中教育对全国各地，特别是财政收入较为匮乏的广大中西部地区，带来了严峻的财政和师资队伍压力。即使中国劳动人口平均受教育年限达到了10.8年，但仍远落后于美国、韩国2010年的水平。按中国劳动年龄人口平均受教育年限从2010年的9.04年，提高到2020年10.8年，年均增长0.176年的粗略统计，当前中国劳动人口平均受教育年限发展水平至少落后于美国25年、韩国20年。

(二) 中国劳动年龄人口中高等教育学历比例与发达国家相距甚远

中国劳动年龄人口中高等教育学历比例明显落后于OECD国家，世界高收入、高创新指数国家的平均水平。2010年，中国25—64岁劳动年龄人口中接受大专及以上教育的比例不足10%，同期美国、韩国为41%和39%；2015年中国快速跃升至16.8%，但与主要发达国家相比仍处于较低水平。即使在北京、上海等教育现代化发展程度较高的地区，2016年接受大专及以上教育的比例仅分别为45.46%和30.05%，而纽约、伦敦、东京等国际大都市在21世纪初期这一指标就已接近50%。

(三) "后4%时代"公共教育支出占GDP比重仍大大低于发达国家

尽管我国在2012年终于实现财政性教育经费支出占GDP比例突破4%的目标，但是支撑教育现代化发展的经费仍相对不足，与西方发达国家以及金砖国家相比，存在较大差距。英国、美国、法国、芬兰等国这一数值在2010年已普遍高达6%，日本、韩国、新加坡等亚洲近邻亦超过5%，其他金砖四国(印度、巴西、俄罗斯、南非)也接近5%。特别是在国家"双一流"建设、延长受教育者年限、普惠学前园建设、优质师资培养等方面仍需大量的经费投入。

二、如何理解"基本实现教育现代化"中的"基本"概念

中国教育综合入学率(初等、中等和高等教育三级综合入学率)接近或达到世界中等收入发达国家教育发展的整体水平,是在2020年能够达成基本实现中国教育现代化的关键监测指标,但结合中国区域发展来看仍将是不充分、不均衡的教育现代化。

(一) 中国教育综合入学率接近世界中等收入发达国家

联合国近年来发布的《全球人类发展报告》中提出的"教育综合粗入学率指数"($GEI=\frac{CGER-0}{100}$,CGER为综合粗入学率),是世界各国监测其教育现代化进程的最重要综合指标之一。2016年全国(大陆31个省市区)分地区按性别,6岁及以上人口变动的受教育程度抽样调查(样本总量为1 077 322人,抽样比为0.837%)表明,2016年中国教育综合入学率达到94.03%,略低于中等发达国家95.07%的水平,但高于83%的世界平均水平,中国教育综合入学率已接近世界中等收入发达国家水平。

(二) 中国基本实现教育现代化的主要监测指标

教育部2016年全国教育事业发展统计公报表明,学前教育毛入园率为77.4%、九年义务教育巩固率为93.4%、高中阶段毛入学率为87.5%、高等教育毛入学率达到42.7%。《纲要》指出,2020年各级教育事业发展要实现以下主目标的监测指标:学前教育毛入园率70%、九年义务教育巩固率95%、高中阶段毛入学率90%、高等教育毛入学率40%。对比两者数据,当前中国在学前教育毛入园率以及高等教育毛入学率指标上,已达到2020年基本实现教育现代化的要求;但在九年义务教育巩固率以及高中阶段毛入学率方面仍需进一步加快发展。

同时,有研究表明中国教育事业现代化发展的总体水平由2000年的35.97%,提高到了2011年的63.60%,教育事业发展现代化进程年均增长2.51%。据此数据粗略估计,2016年教育事业现代化发展的总体水平约为76.16%,2018—2020年间可以达到既定的80%监测指标,基本实现教育现代化应

无悬念。

(三) 尚不充分、不均衡的教育现代化

2020 年基本实现教育现代化仍是不充分、不均衡的教育现代化。从总规模看,《纲要》预测到 2020 年义务教育总人数达 16 500 万人。从 2016 年教育事业统计看,仍存在 2 000 万的差距。从各级教育的入学率看,2016 年全国入园率已达到 2020 年的预测指标,但是义务教育巩固率距 2020 年的 95%依然存在 1.6%的差距,此外,高中阶段毛入学率还存在 2.5%的差距。特别是数据表明 2021 年幼儿园预计缺口近 11 万所,幼儿教师和保育员缺口超过 300 万;而且当前在一线工作的大量从业者未受过高中阶段的教育,如何稳妥推进普及高中阶段的教育,是中国要解决的一个难题(李稻葵,2017)。基本实现教育现代化当前仍不充分,任重而道远。

综观 2016 年中国大陆 31 省市区教育事业发展统计公报,不难发现东、中、西部各级教育入学率存在较大差距,总体表现为中西部地区的学前教育、义务教育、高等教育毛入学率低于东部地区。即使在东部地区,城乡之间、市县区之间的差异也较为显著。教育现代化进程中的不同地区发展不平衡,根本上取决于各地区政治经济文化等方面发展的不平衡,原因较为复杂。各级教育毛入学率的地域差别表明,2020 年基本实现教育现代化,需要统筹考虑国内各区域的教育协同发展问题。基本实现教育现代化现今仍不均衡,推进教育现代化仍面临着实现教育公平的历史任务。

三、基本实现现代化后,教育现代化的新走向

完整的教育现代化应该是“从跟随、到并行、超越再到全面领跑”的动态发展过程。一般要经历“初步—基本—整体—全面”四个发展阶段,分别对应改革开放之初—2000 年、2001—2019 年、2020—2050 年、2050 年以后。

按此构想,教育现代化初步发展阶段重点在于初步普及各级各类教育,加大教育经费投入,使教育事业发展的软件配备和硬件设施达到基本标准,这一时期是全面跟随、借鉴西方教育现代化的理念、设施、制度和做法;基本实现教育现代化后,将集中精力实现各级各类教育的优质均衡发展,侧重各级各类教育的结构

优化、质量提升、公平效率等层面的内涵发展，全面追赶直至与发达国家教育现代化水平发展并行；到建党一百周年，整体实现较高程度的教育发展水平，教育现代化监测指标全面达到主要发达国家平均水平、部分指标能够超过主要发达国家平均水平；再到建国一百周年，中国的教育现代化将全面领先于世界发达国家平均水平，全面领跑世界教育现代化发展进程。当前中国教育现代化正处于全面追赶直至与主要发达国家教育现代化并行发展的阶段，基本实现教育现代化后，必将经历一个更高层次的教育现代化。

教育现代化的本质是"现代性"的提升而非形态的变迁。一定的教育状况总是通过一定的结构形式、内容方法、组织管理、资源集聚等形式表现出来，因此，教育形式的变迁不一定意味着现代化的推进，也可能是现代化的延误、断裂、停滞甚至倒退。一如信息技术在教学中的运用可能是现代化的推进，也可能是现代化的倒退，其原理不言自明。教育现代化的要义在于使教育获得现代性，虽然如前所述，现代性是一个历史范畴，但民主的、科学的、文明的、理性的、使人获得更多的自由和解放是其基本价值诉求。在现代化的追赶阶段，首先看到的和容易学习的多是物质技术层面的内容，当基本实现现代化后，则需要更多地追问和关注思想精神层面的内容，关注人的现代性及其与社会的现代性互动。迄今以来的中国教育现代化研究，指标体系分析多选用经合组织和世界银行分析视角，一方面它们简洁有效，另一方面它们偏重教育与经济的互动。但相对而言，联合国教科文组织关于教育现代化的指标体系比较全面地关注到社会、政治、经济、文化和教育的整体互动。中国教育要防止只有表面变化而没有实际进步的"现代化"，未来应更重视联合国教科文组织的现代化指标体系。

教育现代化需正确处理"三对关系"。一是世界性和本土性（或依附性和自主性），作为现代化起步较晚的国家，中国教育现代化带有强烈的后发型和赶超型特点。打开国门面对发达经济体，不免会从中汲取先进示范，这样一来容易中断中国自身的教育现代化演变逻辑，使原有传统与外界冲撞，甚至引起认识上的混乱和错位。时至今日，我们更要立足中国，建立有中国特色的教育现代化模式。二是传统性和现代性，中国漫长而封闭的超稳定的教育文化机制在与教育现代化理念相遇时容易走向两个极端：固步自封和全盘西化。正因如此，中国的教育改革充满曲折反复。三是科学性与人文性，教育技术的革新固然是带动教育现代化的关键因素，它既可为发达地区提高教育水准提供不懈动力，也可成为中西部地区实现跨越式发展的有利途径。但教育现代化核心始终是人的现代化，教育设施装备、体系、管理等都要始终围绕和最终落实到人的现代化上。

四、以教育现代化引领国家现代化

推进教育现代化是实现中华民族伟大复兴的基础工程。以教育现代化引领国家现代化，既要恰当处理好优先发展教育事业同教育与经济、政治、社会发展相协调的理论问题，又需切实采取"科教融合""产教融合""科创融合"等举措，实现教育强国。

教育现代化，同经济现代化、社会现代化等共同构成了国家现代化的完整内容。教育是国家发展的基础性战略事业，必须优先发展教育；然而，中国教育现代化发展阶段性呈现出的特殊矛盾，决定其必须基于中国社会主义发展初级阶段的基本国情和教育发展的世情，特别是在财政投入上，寻求教育优先发展、内涵发展、同国家其他领域协同发展的张力。

教育现代化归根结底要落到国家的人才培养战略中，使国家经济建设转移到依靠科技进步和提高劳动者水平的轨道上，化人口大国为人才强国，化人口压力为人才优势，从根本上提高中华民族的整体素质。为此，应切实采取"科教融合""产教融合""科创融合"等举措，将人才培养同国家重大发展战略、行业产业发展需求、科技进步与创新创业结合起来，优化人才培养结构，不断占领世界高科技新兴业态发展高地。在与世界一流国家竞争时，通过赢得教育竞争力、科技竞争力、人才竞争力，最终成为综合国力和国际影响力领先的国家，使中华民族以更加昂扬的姿态屹立于世界民族之林。

第二章

人才是根本：新时代教师队伍建设的体制机制创新

改革开放之初，教师队伍建设便摆在教育事业改革与发展的重要战略位置。1985年启动的教育体制改革倡议要“让教师工作成为最受人尊重的职业之一”，提高教师的政治地位和社会地位是教师职业受人尊重的关键。2018年，作为新中国成立以来中共中央和国务院出台的第一个专门面向教师队伍建设的里程碑式政策文件，《全面深化新时代教师队伍建设改革的意见》（以下简称《意见》）吹响了教师队伍建设体制机制改革的集结号——“真正让教师成为令人羡慕的职业”。文件确立公办中小学教师作为国家公职人员特殊的法律地位，要求切实提高中小学教师的收入待遇，从制度上落实“兴国先强师”的战略定位，从社会地位、薪酬待遇、生活条件等方面提高教师职业吸引力。

本章从当前教师职业在就业市场中的吸引力、国家对教师职业的规定、教师工作状态以及域内外教师职业状况等视角来检视如何让教师成为令人羡慕的职业，进而提供教师体制机制改革的新思路。

第一节　政策解读

日前，中共中央、国务院印发了《全面深化新时代教师队伍建设改革的意见》，以及《教师教育振兴行动计划（2018—2022年）》（以下简称《计划》）。《意见》是新中国成立以来国家出台的第一个专门面向教师队伍建设的里程碑式政策文件，这份文件系统回答了新时代教师队伍建设面临的重大理论和实践问题，是一份开创新时代、创造新模式的纲领性文件，被誉为是实现高起点谋划和推进教育改革向前发展的“牛鼻子”，标志着教师队伍建设的“极端重要性”战略地位成为共识。

《计划》则是落实新时代教师队伍建设改革的工作任务书。《计划》强调全面贯彻落实党的十九大精神和以习近平新时代中国特色社会主义思想为指导的重要性，突出以人民为中心的发展思想，明确坚持社会主义办学方向和新发展理念，提出主动适应教育现代化对教师队伍建设的新要求和从源头上加强教师队伍建设的改革方向，对建强做优教师教育，推动教师教育改革发展，全面提升教师素质能力具有重大的现实意义。

尽管两个政策文本在具体内容和战略意义上有所区别，但其目标都旨在提升教师质量、完善教师队伍建设，且都是呼应走向教育强国的重大节点所作出的政策判断。可以说战略背景和根本目标是两个文件的核心部分，而树立职业自信及办好师范教育则是在其背景下为实现目标作出的决议和策略。

一、走向教育强国的战略背景

改革开放以来，我国教育事业取得了伟大的历史性成就，教育总体水平迈进世界中上行列，教育发展的主要矛盾已经发生重大转变，教师队伍质量成为影响我国教育事业健康持续发展的主要因素。我国正经历从“站起来”到“富起来”的历史进程，现在正从“富起来”进入“强起来”的历史发展阶段。教师强则教育强，教育强则国家强。满足人民群众对美好教育生活的向往，成为今后我国教育改革和发展的主要任务，人民群众对多样、特色、优质教育的需求更加强烈，也对教师队伍素质提出更高的要求。世界各国越来越重视教育，加强教师队伍建设是国际共识。探索教师队伍建设的中国道路、提供中国方案，是中国教育界必须承担的神圣使命。

百年大计，教育为本；教育大计，教师为本。党的十八大以来，习近平总书记从实现中华民族伟大复兴中国梦的战略高度，深刻论述了新时代教师发展中带有根本性、方向性、全局性的重大理论和实践问题，形成了思想深邃、内涵丰富、系统完整的科学理论体系。因此，我们要深入学习贯彻习近平总书记关于新时代教师队伍建设改革的重要指示，遵循教育规律和教师发展规律，努力培养造就一支师德高尚、业务精湛、结构合理、充满活力的高素质教师队伍，加快形成优秀人才争相从教、优秀教师不断涌现的生动局面，全面落实党的十九大提出的“加强师德师风建设，培养高素质教师队伍，倡导全社会尊师重教”风尚。

二、教师质量提升的诉求与瓶颈

《意见》和《计划》的总体目标都落脚于提高教师素质、提升教师队伍质量。提升教师质量也是新时代赋予教师队伍建设的重要使命。在这一背景下，两个政策文本都针对提升教师质量提出了相应对策。《意见》以提高教师学历来保证教师质量，明确各层级教师的学历要求相应都有所提高，比如，逐步将幼儿园教师学历提高至专科，小学教师学历提高到师范专业的专科和非师范专业的本科，初中教师学历提高到本科，有条件的地方将普通高中教师学历提高到研究生，旨在从根本上盘活、优化教师队伍。

除教师的学历提升问题，现行的招生政策与教育机制制约着教师教育供给侧改革的推行和深化，师范类生源质量滑坡，严重影响和制约了教师教育的质量；传统的师范类教育课程结构与课程内容陈旧、僵化的问题，已越来越难以适应新时代教师教育理念与教育教学水平的发展需求；教师编制难题困扰着教师身份；职称评定中的消极因素影响着教师教育质量的提高。

在资格考试改革和定期注册制度改革之下，教师准入门槛有所提高，并且破除了教师资格终身制，对保证教师队伍质量和水平起到积极的作用，但作为配套机制的教师待遇问题还需及时跟进完善，尤其是乡村教师的待遇问题。另外，教师的工资构成也不尽合理，如教龄津贴权重过低、职称工资权重过高、绩效工资计算方法不合理等。可见，目前提升教师质量仍存在诸多瓶颈，需要进行诸多探索。

三、树立职业自信是师德建设的内在意蕴

教师良好的职业行为，外化为师德师风，内化为职业自信进而转变为专业自信。师德是教师的内在自觉，会外化为行动，对学生产生深远影响。强化师德建设，有利于孕育新时代强国大师产生的良好生态。师风师德建设的内在动力是坚

定的职业信仰和职业自信。只有坚定的职业自信才能让教师立志于修习自身、不断提高自身道德素养来促进学生的成长。为此,《意见》特别强调建立起“四个自信”,对于师德师风建设来说,树立理想信念尤为关键。教师道德素养的提高和专业素养的培养统一于教师职业认同感的提升,要努力增强对教育事业和教师岗位的信念感。教师只有增强职业自信、树立职业自信才有源源不断的内驱力量推动自身的师风师德建设,其内生力量将是师德建设的有力助推器。

四、办好师范院校是教师教育的“固本之策”

师范院校是培养教师的专业机构,办好师范院校是提高教师教育质量的根本要义。我国师范院校办学中存在的一个突出现象是,一流大学的参与程度低,这在总体上限制了我国教师教育的水平,有待寻找破解的路径。另一方面,《意见》中出现了一个新变化,“大力推进地方政府、高校、中小学‘三位一体’协同育人”,把“政府”的位置放在“高校”之前,进一步强化了地方政府在教师培养中的主导地位和职责。《计划》则提出,要重点建设一批师范教育基地,改革师范生招生制度,提高师范生生源质量。这些改革举措为师范院校的发展带来了难得机遇,师范院校必须主动适应、对接和服务国家教师队伍建设的重大战略,从学科规划、人才培养、社会服务、内部管理等各个方面作出积极调整,在为发展更高质量更加公平的教育提供强有力的师资保障和人才支撑的同时,实现自身更高水平的内涵式发展。

第二节　教师职业吸引力

“教师”是我们常说的“崇高”的职业,但当前教师队伍建设存在优秀师资来源不足、职业倦怠等问题,这些都不得不以教师职业吸引力为切入点。我们以高校毕业生就业择业情况为切入点,选取四所部属综合类院校和三所师范类院校为分析对象,以各校 2017 年就业质量报告为数据来源,分析基础教育教师这一职业在毕业生就业市场中的吸引力。

一、教育部直属综合类院校毕业生就业行业情况

综合类大学毕业生对基础教育行业和对其他行业的择业情况，一定程度上可以反映出毕业生对教师这一职业的认可度。本报告根据区域和城市类别，对综合实力较强的四所教育部直属大学：北京大学（直辖市、北方地区）、南京大学（省会城市、华东地区）、重庆大学（直辖市、西南地区）、厦门大学（非省会、非直辖市、东南沿海）进行分析（如表3所示）。

表3　2017年教育部直属院校毕业生就业行业情况（综合类大学）

<table>
<tr><th>高校名称</th><th>学历</th><th>毕业生数</th><th>毕业生占比</th><th>基础教育从业比</th><th>其他行业</th></tr>
<tr><td rowspan="4">北京大学（校本部）</td><td>本科</td><td>2 645</td><td>35.35%</td><td>1.98%</td><td rowspan="4">金融业23.05%；公共管理、社会保障、社会组织22.68%；信息传输、软件14.83%；高等教育11.4%。</td></tr>
<tr><td>硕士</td><td>3 604</td><td>48.30%</td><td>2.06%</td></tr>
<tr><td>博士</td><td>1 213</td><td>16.26%</td><td>1.85%</td></tr>
<tr><td>总计</td><td>7 462</td><td>100%</td><td>1.98%</td></tr>
<tr><td rowspan="4">南京大学</td><td>本科</td><td>3 060</td><td>39.13%</td><td>——</td><td rowspan="4">信息传输、软件和信息技术服务业19.28%；高等教育10.17%；金融业14.59%；公共管理、社会保障和社会组织10.13%；</td></tr>
<tr><td>硕士</td><td>3 813</td><td>48.75%</td><td>——</td></tr>
<tr><td>博士</td><td>948</td><td>12.12%</td><td>——</td></tr>
<tr><td>总计</td><td>7 821</td><td>100%</td><td>1.81%</td></tr>
<tr><td rowspan="4">重庆大学</td><td>本科</td><td>6 758</td><td>61.69%</td><td>0.21%</td><td rowspan="4">制造业20.97%；建筑业14.50%；信息传输、软件和信息技术服务业12.13%；</td></tr>
<tr><td>硕士</td><td>3 741</td><td>34.15%</td><td>2.22%</td></tr>
<tr><td>博士</td><td>455</td><td>4.15%</td><td>0.00%</td></tr>
<tr><td>总计</td><td>10 954</td><td>100%</td><td>0.89%</td></tr>
<tr><td rowspan="4">厦门大学</td><td>本科</td><td>4 504</td><td>60.50%</td><td>0.50%</td><td>信息技术21.1%；金融业16.3%；</td></tr>
<tr><td>硕士</td><td>2 727</td><td>36.60%</td><td>4.00%</td><td>金融业19.2%；信息技术16.5%；制造业12.3%；</td></tr>
<tr><td>博士</td><td>210</td><td>2.80%</td><td>1.40%</td><td>高等教育65.2%；科研和技术服务12.1%；</td></tr>
<tr><td>总计</td><td>7 441</td><td>100%</td><td>1.80%</td><td>——</td></tr>
</table>

资料来源：根据各高校2017年就业质量报告整理。

从基础教育行业就业总体情况来看，四所综合类大学都有毕业生进入该领域，但所占比例较少，分别为北京大学 1.98%，南京大学 1.81%，重庆大学 0.89%，厦门大学 1.80%，均不超过毕业生总数的 2%。

从学历层次来看，三所高校（南京大学暂无数据）各学历层次学生中从事基础教育比例相对较大的是硕士毕业生，其中北京大学 2.06%，重庆大学 2.22%，厦门大学 4.00%。

从基础教育与其他行业的比较来看，毕业生在基础教育行业就业比例相较于本校就业热门行业（多集中在金融、信息技术、软件、制造业等）有近 20 个百分点的差距。

总体来看，包括北大在内的国内最优秀的综合性大学都有毕业生愿意从事基础教育行业工作，但比例整体不高；在所有学历层次中硕士毕业生选择在基础教育领域工作的比例略高于本科生和博士生，显示基础教育行业对综合类高校硕士学历的学生有一定吸引力；仅从就业市场本身的状况来看，基础教育行业的吸引力尚未成为对优秀人才具有广泛吸引力的职业。

二、教育部直属师范院校毕业生就业行业情况

在师范类院校本科非师范生、硕士和博士毕业生就业选择中，基础教育行业和其他行业的就业比例一定程度上能够反映出教师这一职业的吸引力。我们从教育部直属的六所师范类院校中抽样选择三所学校进行分析，分别为北京师范大学、华东师范大学和华中师范大学（如表 4 所示）。

表 4　2017 年教育部直属院毕业生就业行业情况（师范类大学）

高校名称	学历	毕业生数	毕业生占比	学生性质及占比	基础教育从业比	其他行业
北京师范大学	本科	2 455	37.46%	师范生（17.84%）	100%	——
				非师范（82.16%）	43.50%	政府、非营利机构 12.56%； 金融、银行、保险 8.52%；

续 表

<table>
<tr><th>高校名称</th><th>学历</th><th>毕业生数</th><th>毕业生占比</th><th>学生性质及占比</th><th>基础教育从业比</th><th>其他行业</th></tr>
<tr><td rowspan="2"></td><td>硕士</td><td>3 476</td><td>53.03%</td><td>——</td><td>33.72%</td><td>政府、非营利机构 17.25%；金融、银行、保险 6.91%；</td></tr>
<tr><td>博士</td><td>623</td><td>9.51%</td><td>——</td><td>1.27%</td><td>政府、非营利机构 8.35%；金融、银行、保险 2.03%；</td></tr>
<tr><td rowspan="4">华东师范大学</td><td rowspan="2">本科</td><td rowspan="2">3 345</td><td rowspan="2">49.60%</td><td>师范生(27.29%)</td><td>100%</td><td>——</td></tr>
<tr><td>非师范(72.70%)</td><td>12.13%</td><td rowspan="3">信息技术 10.66%；金融 7.92%；公共管理 4.58%；文娱广传 4.48%；</td></tr>
<tr><td>硕士</td><td>2 904</td><td>43.06%</td><td>——</td><td>37.57%</td></tr>
<tr><td>博士</td><td>495</td><td>7.33%</td><td>——</td><td>6.86%</td></tr>
<tr><td rowspan="3">华中师范大学</td><td rowspan="2">本科</td><td rowspan="2">4 409</td><td rowspan="2">55.47%</td><td>师范生(38.38%)</td><td>100%</td><td>——</td></tr>
<tr><td>非师范(61.62%)</td><td rowspan="2">57.30%</td><td rowspan="2">信息传输、软件和信息技术服务业(IT 业)6.42%；公共管理、社会保障、社会组织 5%；</td></tr>
<tr><td>硕士</td><td>3 540</td><td>44.53%</td><td>——</td></tr>
</table>

数据来源：根据各高校 2017 年就业质量报告整理，另注：华中师范大学博士生所占比例较小(2.99%)，未在质量报告中作整合统计，其就业情况为协议就业情况。

从基础教育行业的整体就业情况看，三所师范院校在基础教育行业就业的比例都较高，其中师范生 100%都到了基础教育行业就业。

从学历层次看，本科非师范生和硕士生在基础教育领域就业的比例也较高。本科非师范生毕业生中北京师大 43.5%、华东师大 12.13%进入了基础教育就业；硕士研究生中北京师大 33.72%，华东师大 37.57%进入了基础教育行业。华中师大虽未单列，但从其就业协议签订情况来看，本科非师范生和硕士生中 57.3%从事基础教育工作。

从基础教育与其他行业的比较来看，对于师范类院校毕业生，基础教育行业比其他行业有更强的吸引力，基础教育是师范类院校中就业最好也是最热门的行业。

总体显示，师范类院校毕业生从事基础教育行业的比例比较高。本科师范生都进入基础教育行业，本科非师范生和硕士毕业生进入基础教育行业的比例也比较高。与其他行业就业相比，师范类毕业生从事基础教育行业的比例远大于从事其他行业的比例。表明基础教育行业是师范类院校毕业生中比较受欢迎的行业。

第三节 作为国家公职人员的教师

教师的身份地位取决于一定时期国家社会的认识定位，且常常以法律政策的形式予以确认。《意见》首次提出，“教师是国家公职人员”，对这一地位的认识随国家经济社会发展逐渐形成。

一、教师一度被界定为从事公职的专业人员

公职人员有狭义、广义理解。狭义的公职人员指具有国家公职身份或其他从事公职事务的人员，也即通常说的“干部”。广义的公职人员指依法履行公共职务的国家立法机关、司法机关、行政机关、中国共产党和各个民主党派的党务机关、各人民团体以及国有企业和事业单位的工作人员。公职人员概念的核心是“公职”，所谓“履行公职”这个概念的内涵非常广泛，比如国家机关，或者说政府序列以外的人员，如果个体是在履行公职，同时又占有编制，工资福利由财政负担，则为公职人员。显然，公职人员的范围要大于国家公务员。毋庸置疑，教师从事着“公职”，作为广义的公职人员早已是事实，但此前并未获得律法政策意义上的公职人员称谓。

改革开放前，教师的身份曾经属于国家干部。1993年颁布的《中华人民共和国教师法》第三条规定：“教师是履行教育教学职责的专业人员，承担教书育人，培养社会主义事业建设者和接班人、提高民族素质的使命。教师应当忠诚于人民的教育事业。”该条款明确了教师的“专业人员”身份，但未明确教师的公职身份，作为“专业人员”的教师被归为“事业单位人员”并享受事业单位人员待遇。

二、国家公职人员凸显了教师职业的公共属性

此次《意见》首次确立了公办中小学教师作为国家公职人员特殊的法律地位，强化了教师承担国家使命和公共教育服务的职责，明确了公办中小学教师特殊的

政治地位，凸显教师职业的公共属性。不仅要求各级党委和政府要切实负起中小学教师管理和保障责任，提升教师的政治地位、社会地位、职业地位，吸引和稳定优秀人才从教，同时也对公办中小学教师的素质提出了更高要求和标准。公办中小学教师要切实履行作为国家公职人员的义务，强化国家责任、政治责任、社会责任和教育责任。

《意见》提出，到2035年教师综合素质、专业化水平和创新能力大幅提升。要提高教师入职标准，逐步将幼儿园教师学历提升至专科，小学教师学历提升至师范专业专科和非师范专业本科，初中教师学历提升至本科，有条件的地方将普通高中教师学历提升至研究生。这意味着要办好人民满意的教育，必须吸引优秀人才从事教育，用更优秀的人去培养优秀的学生。

三、国家公职人员奠定了教师权益的法律地位

国家公职人员的法律地位为提高和改进公办中小学教师的待遇提供了制度保障。《意见》指出："健全中小学教师工资长效联动机制，核定绩效工资总量时统筹考虑当地公务员实际收入水平，确保中小学教师平均工资收入水平不低于或高于当地公务员平均工资收入水平。完善教师收入分配激励机制，有效体现教师工作量和工作绩效，绩效工资分配向班主任和特殊教育教师倾斜。实行中小学校长职级制的地区，根据实际实施相应的校长收入分配办法。"把提高教师地位待遇作为增强教师职业吸引力的根本举措，要求相关部门制定切实提高教师待遇的具体措施，健全中小学教师工资长效联动机制，特别是首次明确要求核定绩效工资总量时统筹考虑当地公务员实际收入。在提升乡村教师待遇上，"认真落实艰苦边远地区津贴等政策，全面落实集中连片特困地区乡村教师生活补助政策，依据学校艰苦边远程度实行差别化补助，鼓励有条件的地方提高补助标准"。在民办学校教师权益上，"民办学校应与教师依法签订合同，按时足额支付工资，保障其福利待遇和其他合法权益，并为教师足额缴纳社会保险费和住房公积金"。

建设一支具有更高素质的教师队伍，是推进教育现代化、建设教育强国的必然要求。"公办中小学教师属于国家公职人员"的身份定位，呼应了改革开放以来我国经历了从"站起来"到"富起来"的历史进程，现在正从"富起来"进入"强起来"

的历史发展阶段，需要提高教师定位，让教师发挥更大的潜力。教师强则教育强，教育强则国家强。满足人民群众对美好教育生活的向往，成为今后我国教育改革和发展的主要任务，人民群众对多样、特色、优质教育的需求更加强烈，因此对教师队伍建设也提出更高的要求。

第四节　教师职业生活状态扫描

教师的生存状态包括教师工作、专业活动等方面，涵盖教师所参与的专业性、行政性活动，以及其所处的学校环境、工作负荷与回报、工作满意度、工作效能感等，从更广义上可拓展至教师的家庭环境和社会地位等。本报告选取 OECD 的“教师教学国际调查（TALIS）”、“中国教育追踪调查（CEPS）”、“中国基础教育质量监测协同创新中心大规模随机抽样调查”等资料，就教师的工作时间、工作任务和生活、工资收入等状况反映教师的职业生活状态。

一、教师工作时长统计

教师教学国际调查（Teaching and Learning International Survey, TALIS）、中国教育追踪调查（China Education Panel Survey, CEPS）均对我国初中教师的工作时间进行调查，前者以上海市公办民办学校的 3 925 名教师为调研对象，可代表我国教育水平较发达地区的教师状态；后者以人口平均受教育水平和流动人口比例为分层变量从全国随机抽取了 28 个县级单位，可代表全国平均水平。数据显示，我国教师工作时间呈现以下特征。

教师平均每周工作时间超过法律规定。根据 CEPS 数据，全国初中教师每周工作时间均值达 47.5 小时（超过《劳动法》规定的“每周工作时间不应超过 44 小时”），工作时间最长的教师每周达到 110 小时。其中，教师每周用于教学的平均时间为 10.07 小时，占总时间的 21.2%；每周教研平均时间为 22.4 小时，占总时间的 47.2%；每周管理班级和处理行政事务时间为 15.03 小时，占 31.6%。

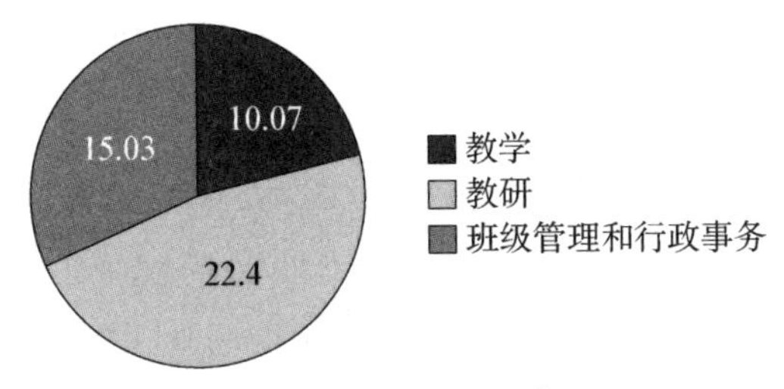

图 1 教师每周工作时间(单位：小时)

根据 TALIS 数据显示，上海初中教师每周平均工作时间 39.7 小时，略高于 TALIS 平均水平(38.5 小时)，处于中等水平，但低于全国平均水平。此外，教师用于教学的时间为 13.8 小时，占工作时间的 34.8%；用于备课的时间为 8.1 小时，占 20.4%；用于改作业的时间为 7.9 小时，其中包括面批作业时间，辅导学生为 5.1 小时，与本校同事合作交流为 4.1 小时。此外，76.3%的教师报告两周至少有一次教研组活动、一次备课组活动；47.9%的教师报告两周至少有一次年级组活动。50%以上的教师报告教研组和备课组最多的活动是听评课和集体备课。

二、教师工作和生活状况

教师的具体工作任务是其工作量的重要组成部分。一项关于教师工作量的调研显示，教师所教学生和任教科目较多，一方面，平均每位教师需要教授近一百名学生；另一方面，中小学教师任教科目普遍多于一门。同时，教师承担的非教学工作较多，例如与教学无关的会议、检查等。由于中小学教师工作任务繁多，周末经常被占用，自主学习和反思的时间极为匮乏。与教师繁忙的工作任务相反，中小学教师的休闲活动较少，"从不健身、娱乐"的比例不断提高。

华东师范大学国家教育宏观政策研究院于 2018 年对 15 227 名上海中小学教师发放了职业状况调研问卷，72.9%的教师感到工作时间过长，58.1%的教师觉得批改作业工作量太大，57.0%的教师每天需花费 3 小时以上用于备课和批改作业，59.1%的教师感到从早到晚脑袋里面都有一根弦紧绷着很难受，78.8%的教师每天工作结束后感到筋疲力尽，68.0%的教师认为教师是令人心力交瘁的工作，58.0%的教师自认为情绪起伏很大，32.1%的教师觉得自己需要心理疏导，40.6%

的教师觉得自己每天早上起床很疲乏，63.3%的教师认为自己在透支生命。

教师的工作和生活状况影响教师的满意度认知。华东师范大学国家教育宏观政策研究院对上海中小学教师的问卷调研显示，51.4%的教师对待遇和付出比例感到不满，仅3.6%的教师感到非常满意，28.0%的教师有考虑转行，42.1%的教师表示不会鼓励自己的子女未来从教。根据中国基础教育质量监测协同创新中心大规模随机抽样调查结果，我国中学教师总体工作满意度水平处于中等程度。从影响教师工作满意度的因素看，教师的日工作量、月均收入、兼职情况对中学教师工作满意度的影响极其显著，日工作量越高，教师工作满意度越低；月均收入越高，教师的工作满意度越高。工作投入、职业偏好、专业自主发展对中学教师的工作满意度有积极影响。由此可见，国家应从教师收入和待遇、工作量、学校管理文化等方面提高教师的工作满意度。

三、教师工资收入水平①

《意见》提出，“健全中小学教师工资长效联动机制，核定绩效工资总量时统筹考虑当地公务员实际收入水平，确保中小学教师平均工资收入水平不低于或高于当地公务员平均工资收入水平。”这一规定为保障教师收入待遇提供了契机。事实上，教师的工资收入水平，一直是教师群体关切的问题。

根据国家统计局数据，2012年—2016年，教育行业城镇就业人员平均工资由44 734元增长到74 498元，分别高于全行业平均工资965元和6 929元，同时教育行业在19个行业中的排名由第10位上升至第8位。就上海而言，根据上海市统计年鉴显示，自2012—2016年，上海市教育行业从业人员平均工资由83 074元增长至105 164元，2016年高于全行业平均工资27 119元，在此期间，教育行业平均工资在19个行业中的排名位列第8，与全国平均水平持平。近年来，上海市大力提高教师绩效工资水平，2017年，高中教师人均绩效工资较2016年增长20%，义务教育阶段教师人均增长13%，幼儿园教师人均增长8%，五年间义务教育阶段教师平均收入增加87%。

---

① 注：由于《中国统计年鉴》仅统计职工工资水平，因此此处并不包含各行业工资以外的福利待遇。

表5 全国城镇教育行业就业人员工资情况

年份	各行业平均工资(元)	教育行业平均工资(元)	教育/行业	与平均工资差距(元)	与最高平均工资差额(元)
2012	46 769	47 734	10/19	965	42 009
2013	51 483	51 950	10/19	467	47 703
2014	56 360	56 580	10/19	220	51 693
2015	62 029	66 592	9/19	4 563	48 185
2016	67 569	74 498	8/19	6 929	47 980

数据来源：2012—2016年《中国统计年鉴》。

尽管教师工资在五年间有所增长，上表显示教育行业全国平均工资在19个行业中的位次有所上升，但是还应看到，教育行业与平均工资最高的行业差距依然较大，教师绩效工资还存在分配不合理，未能有效弥合与公务员的工资差距等问题。调查显示，工作性收入是教师重要的收入来源，直接决定教师生活的客观物质条件和生活质量，较低的工资收入影响教师的生活质量、职业心理和专业心态，是教师离职的重要因素。前述对上海教师的调研显示，教师的工作满意度与职称、住房、婚姻、职务、学校性质等关联性不明显，但与收入关联性显著，且教师的工作满意度随收入递增的上升斜率快速加大。与此同时，这一群体的专业认同度、个人效能感等均显著高于其他收入群体。以上数据表明，收入的增加有利于教师专业水平的提升。

第五节 芬兰与我国香港地区的经验

一、芬兰：择优为师，以专业自主提升职业归属感

（一）"硕士起招"，保证教师队伍的高素质

芬兰教师从前10%的优秀毕业生中进行选拔，从源头上保证了队伍的绝对高质量。在1978—1979年颁布的《芬兰教师教育法》中提出将教师聘用的最低学历

提升至硕士学历，这一政策保证了进入教师行业的众多有才能的年轻人，要具有竞争力的专业基础。想在芬兰成为一名教师，入读大学教育学院几乎是唯一途径，而师范专业的竞争非常激烈，每年仅有约 1/10 的师范专业的申请者能够成功。坦佩雷大学教育学院每年招收 120 至 130 名学生，申请者可达到 2 000 人左右，录取率不到 7%（坦佩雷大学招生的平均录取率是 10%）。这样严格的筛选和把关，在源头上保证了教师的质量。在读期间，师范生需要经过五到六年的专业学习，才有机会走上讲台。正因如此，芬兰社会认为：芬兰不仅没有差学生，也没有不合格的老师。

（二）队伍稳定，专业发展条件良好，职业归属感高

据 2013 年 TALIS 报告显示，芬兰的小学全职教师比例高达 96%，位居第一，远高于 80%的国际平均水平。初中教师的调查结果显示，芬兰的初中全职教师比例高达 90%，个人可自由选择的兼职教师占 7%，而完全不能选择全职的兼职教师仅占 3%。这些结果都表明芬兰有着一支稳定的教师队伍，且教师资源比较丰富。在专业发展障碍中“缺乏先决条件（比如资格、经验等）”这一项调查中，芬兰教师占比 5.0%，在所有国家中最低且低于 9.4%的国际平均水平。在“缺少雇主支持”“专业发展与教学工作冲突”“照顾家庭导致专业发展时间不足”“没有提供相关的专业发展机会”和“参与专业发展相关的活动没有相关的激励”等五项教师专业发展障碍中，芬兰均低于国际平均水平。由此可知，芬兰教师在专业发展上的障碍相对较少，教师专业发展条件良好。与之相应，芬兰小学、初中、高中教师的职业满意度均较高。在“我认为教师职业被社会所重视”这个选项中芬兰初中教师以 69.3%的绝对优势超过了所有参加该项调查的国家，且远高于 39.3%的国际平均水平；“在成为教师的优势明显比其劣势多”这一选项中，芬兰初中教师以 96.2%的绝对优势在被调查的 6 国中位居第一，且远高于 83.9%的国际平均水平；而在“我后悔成为教师”这一选项中，芬兰初中教师则以 2.5%的最低比例列在被调查的 6 国最后。

（三）工作自主性高，被信任感和成就感强

芬兰社会高度的自治、信任和尊教氛围使芬兰教师具有充分的被信任感，工作独立性和自主性很高。当大多数国家以学业成绩为标准问责教师，并以高风险测试和排名等形式评估教师时，芬兰并没有这样做。他们依然选择信任教师，相信教师知道什么是对孩子有好处的，允许教师在一个无需恐惧外部测试或监管的自由环境中自主开展工作。芬兰没有教研室，没有教师培训中心，没有督导评价，教师在教学和业务规划上享有很高的自主权，教什么、怎么教、用什么教，全由老师自由选择，社会信任教师是专业人士，放心地把孩子交给他们。芬兰特别强调教师的研究素养，认为教学活动应该是基于研究的创造和实践才有意义和价值，而不是日常程序的重复。芬兰教师所拥有的高度自主权给他们带来了强大的职业内驱力和成就感，使他们以研究者的态度和方式独立地、批判地进行教学问题的研究，充分发挥了个人才智。

二、中国香港：高收入、高门槛维系高水平的教师队伍

(一) 香港教师收入领跑全港其他行业

香港教师是公务员，其薪酬级别表的制定参照了公务员的薪酬标准，并与教师入职的学历水平、工作环境及所需承担的职责等因素挂钩。根据资教会统计的全日制课程毕业生的平均年薪数据，除医生、投资银行等少数高薪行业，其他行业薪金难与教师相比。一般本科毕业的学生进入公司的月薪是1万—1.2万港币，2015年教育学士入职平均月薪是23 059港币，学位教师教育文凭平均月薪是23 342港币。香港小学校长的月薪在5万—8万港币，中学校长的月薪在8万—10万港币，最高可达11万。

表6　教资会资助的全日制课程毕业生的平均年薪　　港币(千元)

学年 主要学科类别	2008/09	2009/10	2010/11	2011/12	2012/13	2013/14	2014/15
医科、牙科和护理科	278	292	294	312	325	331	344
理学科	119	123	141	145	203	176	173
工程科和科技科	114	125	131	141	157	160	177
商科和管理科	114	139	129	137	143	144	144
社会科学科	163	164	175	171	174	181	169
文科和人文科学科	108	113	107	124	118	131	133

续 表

主要学科类别 \ 学年	2008/09	2009/10	2010/11	2011/12	2012/13	2013/14	2014/15
教育科	152	155	160	167	176	176	184
平均年薪	150	157	157	169	180	165	185

注：1. 毕业生的平均年薪包括佣金及其他现金津贴。2. 某一年教资会资助的全日制课程毕业生的就业数据，是由教资会资助大学每年在同年十二月期间进行的毕业生就业统计调查所搜集。
资料来源：大学教育资助委员会

香港特区政府统计处自 2013 年实施最低工资时薪后，每年 5 月至 6 月均向 10 000 家企业收集员工工资及工时数据。过去三年(2015—2017 年)，教师所在的"教育与公共行政(不包括政府)"行业门类的每月工资中位数在特区政府统计报告中的 26 个行业门类中均位列第一位。月工资中位数排名前四的行业为"教育与公共行政(不包括政府)"，"金融及保险"，"经理、行政级人员、专业人员及辅助级专业人员"以及"电力及燃气供应、污水处理、废弃物管理及污染防治活动"。可以说，教育行业的收入报酬甚至超过了以香港国际金融中心地位为背景的金融行业从业人员的收入。若以时薪计算，教育行业的收入报酬同样领跑全港其他行业。以 2015 年为例，有三大行业时薪中位数高达 90 元以上，其中"教育及公共行政"中位数时薪更成为全港唯一时薪破百元达到 119.5 元，其次是"金融及保险业"与"电力及燃气供应、污水处理、废弃物管理及污染防治活动"。

表 7　全港所有全职雇员按行业划分的每月工资中位数名列前四位的行业(单位：港币)

行业	2017 年	2016 年	2015 年	变动百分率
教育与公共行政(不包括政府)	27 500	26 800	25 400	+4.1
金融及保险	26 900	26 000	25 100	+3.55
经理、行政级人员、专业人员及辅助级专业人员	26 800	26 000	25 300	+2.85
电力及燃气供应、污水处理、废弃物管理及污染防治活动	26 500	25 800	25 000	+2.95

来源：香港特区政府统计处 2015、2016、2017 年收入及工时按年统计调查报告 http://www.censtatd.gov.hk/gb/?param=b5uniS&url=http://www.censtatd.gov.hk/hkstat/sub/sp210_tc.jsp?productCode=B1050014

（二）香港教师队伍门槛高要求严

在香港，成为一名教师有着非常严格的资格准入制度。香港教师资格申请人的专业教育培养模式大致可以分为两种类型：一种是全日制的教育学士学位课程模式（Bachelor of Education Programme），学制为四或五年；另一种是学位教师教育证书或文凭课程模式（Postgraduate Diplomain Education Programme），即获取本科文凭后再前往师训机构修读教育专业类课程，学制为一年全日制或二年兼读制。无论何种培养模式，教师资格申请人都必须按照学分规定修习课程专业知识和能力、完成教育实习并通过各种考核，才能获得检定教员的从教资格。

第六节 新时代教师队伍培养、管理和改革——专家观点

2018年1月，中共中央、国务院印发了《全面深化新时代教师队伍建设改革的意见》以及《教师教育振兴行动计划（2018—2022年）》，前者是新中国成立以来国家出台的第一个专门面向教师队伍建设的文件，后者是根据前者的决策部署所制定的振兴教师教育具体目标任务及行动措施，旨在加强做优教师教育、推动教师教育改革发展、全面提升教师素质能力，以一支高素质专业化创新型的教师队伍为我国的教育事业提供强有力的师资保障和人才支撑。

为系统解读新时代我国教师队伍建设的新任务与新要求，分享交流新时代区域教师队伍建设的新思路与新举措，共同探讨新时代教师队伍建设的新方向与新对策，在教育部教师工作司支持下，华东师范大学于2018年5月11—12日举办了“新时代教师队伍建设改革论坛暨全面落实《全面深化新时代教师队伍建设改革的意见》”研讨会。40多位来自教育领域相关的领导、教育界专家学者在论坛上作了发言，400多名来自全国各地的教育工作者与会。

本节以系统解读政策文本为基础，梳理论坛嘉宾的主要论点，剖析存在问题的根源，为破解新时代教师队伍建设改革难题提供方向和建议，以期为决策参考服务。

一、教师队伍怎么培养

"师范教育"曾为我国基础教育事业提供了强有力的师资支撑,但随着教育理论的更新及教师教育自身发展,师范教育培养体系相对封闭、内容相对理论化等局限,已越来越不能反映教师培养实际。时至今日,虽然提出了"教师教育"的命题,但实践中仍未摆脱"后师范教育"的影子,教师培养的体系、内容、标准等不仅与教育发达国家有着明显的差距,也远远不能满足我国适应自身发展的需要。

(一)教师教育在理论准备与课程内容、形式等方面存在诸多不足

朱旭东(北京师范大学教育学部部长):现今我国教师教育的学术基础十分薄弱,导致教师教育的研究水平不高,教师培训的研究水平更低。教育学科建立中没有确立教师教育学科地位,教师教育学科的博士点和硕士点建设没有得到应有的重视。实施"国培计划"和"省培计划"的过程中,承担任务的师范院校的"继续教育学院"体系依然延续着传统的教师培训模式,严重滞后于教师培训专业化、科学化、信息化所带来的挑战。

叶之红(中国高等教育学会副秘书长):教育部于2016年6月发布"启动实施高等学校新入职教师国培示范项目的通知",首次将高校新入职教师的培训工作提升至国家层面。12所高校承办了第一批高师国培工作,完成1 934名中西部新入职教师培训,达成计划96.7%。整体设计没有体现中西部高校的分层、分类特点,缺乏服务中西部高校"双一流"建设中人才队伍培养的指引。对高校教师专业素养的针对性不足,没有体现出国家层面教师培训与省级或校本新入职教师培训之间的层次差异。高校教师支持制度建设及长远规划方面,部属高校发展规划中涉及"教师专业发展"的支持鼓励政策不够鲜明、教师教学专业发展制度设计上偏宏观性和整体性,教师对本校教学专业化发展制度与具体政策的知晓度和认可度不高。

周彬(华东师范大学教师教育学院院长):现今的教师教育面临着师范性和专业性的矛盾,主要的一点是来自于学科越强,对教育学的吸纳就越强大。美国亚伯基金会曾有报告认为,传统专业化教师教育无法成为提高教学效果的科学保障,口头表达能力和学科知识才是高质量教师最重要的素质。而我国考研中的政

治、英语、教育综合，忽略学科考核，排斥了理科好的同学，导致教师群体来源单一，缺少对学生多元文化的理解。

范国睿（华东师范大学长江学者特聘教授）：智能时代的教育形态在改变，在线教育挑战着制度化学校教育，确定性知识的“训练”越来越被人工智能取代，由人工智能参与的教学活动将会增多，实体学校的教育功能将回归基于人的品性与社会性养成的“教育”本质。由此，“教师”身份的功能要有以下转化或者扩充：一是学生成长数据的分析师。基于学生及其学习环境生成的海量数据，教师要能够评估学生的学术进展，预测未来的表现，并发现潜在的问题。二是价值信仰的引领者，防止技术滥用调整人类道德。三是个性化学习的指导者。在学习分析的基础上指导学生选择适切的学习内容、采用适切的学习步调、建立与完善个人学习中心。四是社会学习的陪伴者，让学生学会与人相处，与智能机器人相处。五是心理与情感发展的呵护者。呵护学生天性、好奇心和创造力。

（二）教师教育的学科建制和学院自身发展问题十分紧迫

朱旭东（北京师范大学教育学部部长）：大学中如果没有学科建制，就意味着相关经费、人员、硬件设施等配置的不到位，这方面的事业难以生存。教育学科建立中没有确立教师教育学科地位，教师教育学科的博士点和硕士点建设没有得到应有的重视。在面对“双一流”学科建设的高等教育机构争夺资源的严峻形势下，教师教育院校，尤其是三轨体系中的低端机构升格压力十分巨大，因为既要争取制度资源（如本科、硕士、博士点制度资源建设），又要与师范大学、综合大学争夺优秀人才等人力资源。

周彬（华东师范大学教师教育学院院长）：综合大学的扩招以及平行志愿的使用使师范大学面临生源质量急剧下滑的问题。考上 985 高校的学生，约 2/39 的学生进入了师范大学，约 1/78 的学生进入了师范大学的师范专业就读。低层次的高中教师，难以对高中教育尤其是高质量的高中教育形成引领。

（三）应鼓励一流师范大学与一流综合大学构筑教师教育新体系

朱旭东（北京师范大学教育学部部长）：纵观发达国家的教师教育体系，其中不乏如哈佛、哥伦比亚、斯坦福等综合性世界一流大学的身影，然而我国的一流大学如清华、北大、人大、复旦等却并不参与教师教育。总量上参与教师教育的院校数非常庞大，四级三轨教师教育体系共有 3 000 多所，但 2 000 多所是中职学校、中师、高等专科、高等师范专科等，教师教育的低供给侧面积大。《教师教育振兴行动计划（2018—2022年）》明确提出“鼓励高水平综合性大学成立教师教育学院，设立师范类专业”，应该重构新时代一流大学的教师教育体系，由一流师范大学和一流综合大学共同构成。

二、教师队伍怎么管理

教师队伍建设，师德是关键。习近平总书记高度重视教师队伍建设，2018年5月2日在与北京大学师生座谈中，习近平再次强调要“建设高素质教师队伍”，指出评价教师队伍素质的第一标准应该是师德师风。为建设高素质教师队伍，需要审视当前教师队伍中存在的问题，找准教师队伍建设的突破口，并以管理为突破口，深化选拔录用、工资福利、考核评价改革。

（一）把师德建设和专业发展紧密结合起来

童世骏（华东师范大学原党委书记）：推进新时代教师队伍建设，要求广大教师更加牢记育人使命，坚持不懈培育和弘扬社会主义核心价值观，做社会主义核心价值观的坚定信仰者、积极传播者、模范践行者。推进新时代教师队伍建设，要求广大教师更加注重师德师风，习近平总书记在北大师生座谈会上再一次强调了师德师风的建设，提出了更加明确的要求。推进新时代教师队伍建设，也要求广大教师更好实现自身专业发展，面向未来，认真研究教育对象的变化，对以往熟悉的教育理念、教育内容、教育方式等等做出大胆的革新和调整。在推动教育理念更新、教育内容、教育方式变革的同时，更好地实现自身专业的发展。

尹后庆（中国教育学会副会长、上海市教育学会会长）：师德建设的任务可以概括为四个方面，第一，教师作为人一定是全面的；第二，教师作为公民一定是合格的公民；第三，教师作为特定社会角色的专业人员所具有的道德修养和教育教学智慧；第四，教师作为人生导师所体现出的学科育人价值。据此，师德建设的内容包括，开展育德意识和能力理论研究，提炼师德建设内涵、外延及其影响因素与提升策略，实施师德建构工作，制定评价指标体系，研发师德课程指引，建构师德课程体系；加快建设师德的课程资源，创新研究的模式，结合学科育德能力进行师德培训；采取多种形式，宣讲“身边的好老师”；培训基地的领头人要有学术感召力、道德示范力;积极推进师德建设的自我建构,对可能会引起社会上普遍批评的行为进行分析和判断,避免以个别事件来定论全体教师。建议在师德建设中,首先加强国家层面的顶层设计,让老师参与到师德建构的过程中;其次是分层分类实施,使教师培训课程同教师专业发展紧密结合,继承和发展以基地研修为主开展师德培训的师傅带徒弟的方式,推进课程德育、学科德育、学科融合的项目,让老师在学科育德意识和能力提高的基础上提升自身的师德水平;此外社会媒体高度发达,要有意识地建构、宣传、介绍优秀教师事迹的氛围,这也是提升教师形象社会影响力的重要渠道。

(二) 高校教师管理期待去功利、中小学教师管理出路在增效能

刘志军(河南大学副校长):高校教师评价主要问题有:随机性、非全体性的督导评教难以全面评价;教师评价标准适切性、针对性不强;教师评价的反思性不足,更多是自上而下,缺少基于个体的评价。

阎光才(华东师范大学长江学者特聘教授):从高校教师现状来看,一个非常普遍的现象是竞争压力过大,学术聘任比拼论文发表数量,重项目结果。当前高校的科研与人事制度,一是规划导向,二是绩效评价,三是指标管理,具有明显的重数量的趋向。这种重数量的背后,代价是耗费了大量的经济成本和人力,更大的问题涉及竞争性安排已经带来的教师激情、信念、偏好的改变,甚至完全功利取向。

董秀华(上海教科院高等教育研究所所长、研究员):可以从五个方面关注当前高校教师队伍建设。第一,如何匹配所学与所用,实现专业自觉和业务自发;第二,关注高校教师工作压力;第三,做事和考核,现在的考核市场是科研项目,要回归教学本源;第四,绩效工资对老师福利保障的问题,破解绩效工资基本保障和绩效激励的矛盾;第五,现有教师能否发挥作用,引进人才的待遇能否实现其价值。

朱家存(安徽师范大学副校长):目前的教师资格考试及教师资格的认证,从形式上看非常严格、规范,但考试质量的效度存在一定问题。例如,教育理念和职业道德等较为隐性的要素能否从考试中有所体现。要逐步提升各个学段教师的学历,但问题在于,一是学历提高是否意味着教育教学能力提高;二是学历提高是否就是标准提高了。在教师队伍管理上,主要存在以下问题:第一,优秀人才是否愿意从教是问题的关键,一个人是否适教、乐教、善教我们一时很难判断;第二,如何深化中小学教师职称和考核评价制度的改革,孵化中小学教师岗位特点的考核

评价体系，中小学教师岗位最大的特点就是教书育人；第三，如何创新和规范中小学教师编制问题。

（三）探索以质量为导向的多元多维管理制度

阎光才（华东师范大学长江学者特聘教授）：在“双一流”背景下，应强调质量第一，高成本的数量不可持续。质量评价有三个维度，一是原创理论创新；二是应用技术方法工艺技术突破；三是教育价值，创新人才培养。科学研究、评价以及相关制度的建构，应该考虑尊重科学活动包括创新活动的规律和逻辑，而不是管理学上的逻辑。还需要给学术新手制度上的保护，不要破坏和伤害价值追求，包括好奇心和精神追求，物质上要给予普惠性的支持，中后期可以适当采取不同的取向。还需要考虑资助周期和学术评价周期；淡化数量与急功近利的取向；有选择地学习国外经验，重视定性、同行评议。

刘志军（河南大学副校长）：在实际工作中有四项工作：一是实施教学质量奖活动；二是研究制定教师评价内容体系，形成教师评价基本项目库，目的是制定个性化的课程评估指标、教师评价指标和学生评价指标；三是推动教师开展反思性评价，逐步形成以教师自我反思为主，他评为辅的评价方式；四是研发教师发展评价辅助系统，方便教师更好地开展教学评价工作，提高评价效率和管理水平。

周建松（浙江金融职业学院党委书记）：高等职业院校教师队伍建设有五个要点：一是培养高素质技术技能人才，实现高教性与职教性的有机融合；二是高等职业教育的发展要与文化融合；三是高等职业教育的建设与结构化教师队伍建设的总体要求是数量适当、素质合格和结构合理；四是师资队伍建设要有合理的年龄结构，使青年教师充满希望、中年教师保持活力、老年教师幸福安康；五是结构化师资队伍也要与文化融合，使认识高度统一、充分发挥教书育人合力。要重视结构化师资队伍建设的个体基础。

三、教师队伍怎么改革

想要了解全面深化新时代教师队伍建设改革的问题，我们需要理解“全面深化新时代教师队伍建设改革”这个命题，以明确改革主题；需要了解教师队伍建设的现状，以明晰不同阶段的问题；需要寻找教师队伍建设改革的思路和方向，以找准突破口。

(一)"全面深化新时代教师队伍建设改革"需要建立历史和现实的纵深理解

管培俊(国家民委副部级专职委员):认识"全面深化新时代教师队伍建设改革"这一命题需要抓住四个关键词:一是建设改革,指的是教师队伍建设的改革,从改革的高度筹划教师队伍建设,推动教师队伍建设;二是深化改革,不是在原有的基础上打转,也不是另起炉灶,要以十九大为标志,进行新阶段的深化改革;三是全面,不再是单项举措,而是整体筹划,全面推进,整体解决问题;四是新时代,这是一个历史方位,我们做什么工作,我们现在在什么位置上,我们将要到哪里去,这就是历史方位。

(二)研究、认识教师队伍建设的现状与问题

瞿振元(中国高等教育学会第六届理事会会长):目前,全国高校教师队伍教职工总数236.9万人,专任教师157.3万人,占66.4%。生师比17.7。这个基本数据如果跟历史相比,我国高校当前教师队伍中的专职教师比例相比以前有了很大提高,尤其体现在35岁以下的教师群体。然而教师队伍年轻化也意味社会阅历不足和缺乏工作经验,无法满足高校育人的根本任务和科研、社会服务等的其他职能。

吴国平(上海市教师发展协作联盟副主任):通过近期对1/7的上海中小学教师进行调研显示,教师"工作满意度""专业认同""个人效能感""专业发展""工作生活状态""健康状态"等领域总体状况良好,上海教师队伍平均年龄37岁,年轻化特征明显。存在几个突出的问题:教师的性别比例不协调,男教师20%,女教师80%,尤其是小学男教师比例不到15%;教师普遍存在较强的疲惫和压力感,有一定程度的职业倦息,个位数占比的教师群体对学校的考核、管理等处于完全对立的认知情感状态中;普遍觉得各种检查评比太多、要求太高;普遍对收入与付出表示不满,对收入状况满意的仅为3%。此外,在学校管理以及职称制度等方面也存在一些问题亟需引起关注。

(三)从教师职业出发认识改革,在制度和人身上寻求突破

管培俊(国家民委副部级专职委员):从内涵发展的角度看,关键要素在两个方面:一是制度,二是人。习近平总书记讲人才培养关键是教师。教师队伍素质直接决定大学的办学能力和办学水平,而教师队伍建设的关键在体制支持。要理顺教师管理体制机制，有关部门要和教育部门进一步形成合力：一是高校的放权和监管，高等学校是高等学术机构，监管是一种支持，是一种保障，放权的同时要管好、管住；二是用人机制改革，中央的意见非常明确，高校具备用人自主权，自主聘任教师，自主评定教师职务；三是考核评价机制改革，最好的办法是分类管理、分类考核、分类评价；四是激励机制改革，工作条件、物质待遇、精神激励要辩证统一，特别是薪酬改革，对高校来说仍然是很大的命题；五是教师发展机制改革，从教书育人的高度考虑大学师资队伍的素质要求和培训体系；六是深化资源制度改革，高素质的教育队伍离不开高素质的资源，要为高校教师提供必要的行政辅助资源，释放教师的学术生产力；七是保障机制改革，教师队伍建设要优先保障，重点用于教师待遇和教师发展，教师经费比例大幅度提高。

李蔚（上海市教卫工作党委副巡视员，时任上海市教委人事处处长）：对于教师改革，上海将推出“1 + 3 + X”的文件，1 是市委市政府出一个实施意见；3 是支持高层次人才队伍建设、支持高校青年教师队伍建设以及师德师风的文件；X 由若干小文件组成，包括高校人才计划、管理体制机制改革等。为提高上海人才政策的竞争力和吸引力，将出台一系列政策：一是健全人才计划的支持体系，打造人才的蓄水池，提高人才计划的支持额度、扩大支持范围，加强各部门的协调统一；二是推进高水平地方高校创新团队建设，加快一流人才的成长，强调团队成员 40 岁以下青年教师不少于 2/3；三是多途径搭建人才引进的平台，助力高校人才的引进；四是落实“放管服”改革要求，激发活力，如职称评审权下放、提高高级职称的比例、实施教学激励计划、提高绩效工资等；五是优化人才服务软环境，解决高校人才的后顾之忧，如购房、租房补贴、落户、医疗特需等。

朱益明（华东师范大学教育学系教授）：要从教师的职业特点来看教师的人事制度改革。改革思路和取向不能只是直接的减员，而是优先考虑教育的增效。“怎么界定高质量的教师队伍”，这才是我们人事制度改革最重要的目标。在新时代，进行教师人事制度改革须注意以下几点：人事制度改革要作为加快教育现代化的关键；要体现尊重教师及其职业的要求；运用教育治理的思想方法；教师队伍建设改革要从稳定、动态、更新、发展这些角度考虑可持续发展的问题。概括起来说，当前的教师人事制度改革有五个方向：一是改变编制；二是改革职称；三是改善管理；四是改进队伍；五是改进待遇。

吴国平（上海市教师发展协作联盟副主任）：从上海来说，加强教师队伍建设有六点建议：一是宣传上海中小学教师良好的爱岗敬业态度和教书育人的职业素养；二是重点优先建设新教师队伍，要从成长、培养、发展、待遇等全方位保障这些教师；三是实施学历提升工程，显著提升现有教师研究生学历水平，调查显示拥有研究生学历的教师在发展与升迁、报酬满意度以及教学改革上优于本专科学历教师；四是建立体现教师社会地位的中小学教师薪酬体系；五是需要关注不同年龄段教师的工作状态，改变教师职业满意度随年龄增长而逐级下降的状况；六是需要重点做好中小学校长队伍建设，调查显示校长们承受的职业压力显著，61%的校级领导有转行念头，尽管他们想转行未必会成为普遍的事实，但不认同自身承担的学校领导职位，不仅会影响到他们个体的工作状况，也必将给教育事业留下隐患。

瞿振元（中国高等教育学会第六届理事会会长）：对于加强高校教师队伍建设有三点建议：一是提高高校教师数量，我国现在生师比是 17.7，跟其他一些国家比，如 OECD 国家是 15.5，我们的生师比明显高，这就带来了很多问题，影响教学质量；二是显著提高教师学历水平，这些年硕士生招生规模在稳步增长，但博士生的数量显著减缓了，近几年一直维持在 7 万人左右的招生规模，统计口径的变化使得我们对美国博士招生数量事实认知上有偏差，从而抑制了我们博士生招生数量，也就抑制了高校教师学历的提升；三是以师德师能建设为主题，开展大规模的教师培训，师德师能要两手抓、两手硬，要帮青年教师“过三关”——教学关、科研关、学生工作关，培训要体现在教师职业发展的全程中，特别是在职业发展的不同节点上予以培训和指导（讲师培训、副教授培训、博士生导师培训），不同学科的教学内容和方法的培训，要将课程和教育理念的更新，嵌入培训当中，加强针对教师“短板”的专项培训，提高教师信息化素养。

第七节　观察与思考

一、师范高校需要探索大众化时代成功的办学和发展路径

进入新时代，师范高校面临着高等教育大众化、普及化的现实，从师资构成和

生源形成两个方面同时限制了自身的发展，亟需寻找和探索新的办学模式和发展道路。传统的师范教育虽可历数其问题和不足，凭借其长期积累下来的师资和资源，加上精英教育背景下的生源优势，总体来说为基础教育提供了相应的教师，维系了教育事业的发展。今天伴随着高等教育大众化、普及化的事实，无论是师资质量还是生源水平都与往日不可同日而语。再加上教育改革所提出的一系列新要求，引发了今天师范高校办学模式和发展路径的困扰。师范教育已从30年前的精英教育走向了大众教育，以至于不少教育学界同仁怀念师范教育能重返精英时代。纵观今天国内的师范高校，不是受困于论文排位、升等升级、争夺资源，就是面临师范生市场竞争疲软的事实。寻求发展，老的办学发展模式条件不具备了，新的发展路径尚未形成，这是目前师范高校亟需思考并解决的问题。

高等师范教育进入大众化教育阶段并不意味着放弃精英教育，二者可以并行不悖、相辅相成。第一，高等师范教育大众化阶段仅仅是指职前教师培养数量的增加，其中仍然包涵着一定数量的高等师范精英教育。例如更多的强调研究型以及国际化视野、格局的新型教师培养。不过是两者朝着不同的方向去发展，一个朝着提高教师教育方向发展，一个朝着面向全国基础教育教师方向提高。第二，加快师范教育大众化发展之后，并不意味着师范教育质量的下降。第三，如何促使师范教育精英化和大众化向着各自的方向健康发展需要相关的政策进行保障：一是，在发展策略上注重新时代教师队伍建设的内涵发展；二是在发展速度上，要实施“适度超前”的原则。师范教育周期较长，在布局“百年大计，教育为本；教育大计，教师为先”的优先发展教师事业战略布局中，教师队伍建设在国家整个人力资源结构中要优先布局。

二、研究教师的情绪劳动，纾解教师的身份倦怠

新时代建设一流的教师队伍，需要切实关怀一线教师的情绪劳动与身份倦怠问题，真正增强在职教师的职业认同和心理归属。研究表明，教师在大量的一线教育教学场景中，通过隐藏、假装来呈现出教学组织所需要的情绪表现，耗费大量心理资源，且无法从教学组织、同伴和学生那里获得支持和补充，这种持续的能量损失将使其陷入工作倦怠中，教师的职业倦怠不利于教师教育教学效能的有效发

挥和教师的心理保健(Schultz, 2014)。而这种倦怠、情绪劳动又和教师基于教师专业伦理而保持的认真投入交织在一起,虽能在表面上完成工作职责的要求,但却在深层次引发教师的专业认同困境。然而,一线教师的情绪劳动与身份倦怠等微观层面的具象性问题,长期未得到应有的重视,使得在职教师的职业心理关怀长期处于缺失状态。

教师的情绪劳动可能来自身份、编制、薪酬、职称、晋升、考核等诸多方面。教师感受不快情绪可能预示着对既有与其认同关联的信念、目标的挑战,而愉快的情绪则伴随着对现有认同的确认,教师认同总是和情绪经验密不可分,因此在教师的情绪劳动和倦怠负向叠加背后,是当前教师寻求职业身份认同与职业获得感、成就感的窒碍因素,有悖于"教师成为令人羡慕的职业"这一愿景。这与"上海市中小学教师职业状况"调研状况存在一致性。

毫无疑问,教师过重的情绪劳动与职业倦怠极为有害。一些研究表明,教师将研究和教学截然分开,视研究为负担和额外要求。另外在中小学实行的教师绩效工资管理中也被证明存在诸多问题。如何制定教师薪酬、教师专业发展政策,减缓教师情绪劳动强度,疏解教师职业倦怠,切实增强教师的职业认同感和获得感,成为新时代教师队伍建设的重要议题。教师的情绪劳动与身份倦怠需要从在职教师队伍中去调研,摸排其情况,明确界定出相关领域掣肘教师成为令人羡慕职业的公共政策课题,为切实丰富从教者的职业心理体验,增强情感认同与职业获得感找寻相应的方案。

三、有机整合对教师的赋权与增能

《全面深化新时代教师队伍建设改革的意见》提出,"大力振兴教师教育,不断提升教师专业素质能力",将教师专业素质能力的提升视作一个不断发展的过程,并且把新时代教师终身发展过程中的增能放在了重要位置。尽管以往也注重强调教师增能,然而相较之下,对教师赋权的强调则着墨不多。事实上,教师赋权增能作为有机整体,"权""能"互相统一、缺一不可(操太圣、卢乃桂,2006)。教师职业的终身发展必须有机整合对教师的赋权与增能两个方面。

进入新时代,对教师的赋权增能研究需明确以下四个问题:一是,**在教师专业**

发展方面，教师的赋权增能，将减少其在职业生涯中出现的"倦怠感"，这种倦怠感可能由于教学工作的复杂性、艰巨性和社会环境的剧烈变迁对教学工作不断提出新要求，以及社会对教学专业性的低估而导致。而具有赋权感的教师能有效地处理与整合其情绪、技能、知识和资源，从而胜任教育教学工作，并获得自我满足感和获得感。二是，**在教师专业发展的终身调整方面**，教师赋权增能的过程将提高其社会角色参与的积极性，提高其对教师职业身份与专业身份双重角色的理解心理认同，以消除角色模糊不清带来的消极影响。三是，在决定和投入方面，实施"赋权增能"计划时，要为教师配套相关的经费、制度政策框架，以为其提供充分的成长空间。四是，在教师自我成长方面，要清楚地认识到教师所具有的专业势能，相信他们能通过自身学习获得有关技能，实现自我发展。

讨论教师赋权增能的策略主要基于"权"和"能"两个维度。就"权"而言，可通过改革学校结构，让教师有机会参与学校范围内重大事项的决策，从而赋予他们基本的权威和责任。就"能"而言，可以设立更高的教师职业资格标准，使教师在达标的过程中提高自身能力，并通过调动教师的积极性，促进其专业知识不断更新和充实，从而达到赋权的目标。而在对教师的赋权增能过程中，对乡村教师的赋权增能又显得更为紧迫。要让教育振兴成为乡村振兴的抓手，在促进乡村教师专业发展过程中，以赋权增能为乡村教师队伍建设的突破口，提高乡村教师专业发展的能动性，为乡村教育振兴提供精神动力和智力支持。

第八节　教师体制机制改革新思路

一、"职业"与"专业"合一：令人羡慕之职业内涵

《中华人民共和国教师法》规定：教师是履行教育教学职责的专业人员，承担教书育人，培养社会主义事业建设者和接班人、提高民族素质的使命。根据社会分工和以学校教育为主要教育形态的事实，一般把教师定义为：在学校中对学生的身心发展活动施加影响，以此为主要职责的专业人员。

由上述对教师的定义，可看出教师是职业，亦是专业。医生、律师、企业经理

人、工程师、农技师需在真实的教育教学场景中，承担教育教学工作，方可成为该领域教师。若仅从事相关行业工作，按狭义学校教育形态来看，其并不能被视作教师；换言之，只有其中的优秀群体，具备精湛的专业技能、高尚的道德伦理和教书育人素质才能成为该领域的教师，培养相关领域的专业人才。教师的职业性与专业性是令人羡慕的职业内涵：教师作为职业体现为从教人员求生存谋发展的手段；作为专业体现为社会支配阶层对教师职业身份的官方界定，是教师凭借其学科专业性和教育专业性认同。让教师职业成为令人羡慕的职业，就是要求教师在专业与职业的张力之间寻求超越与整合。

令人羡慕的教师职业内涵在各级各类教育中应有不同侧重。在高等教育领域，加强高校教师教育教学与学术科研服务经济发展、文化传承、科技创新与社会生产进步的联系，将论文写在大地上，奋笔疾书新时代教育奋进之笔。高校教师群体要在产教融合、科创融合中发挥他们的远见卓识、技术智慧，引领国家重大产业与科学技术的发展。在基础教育领域，需切实提高教师地位待遇，保障教师作为国家公职人员的权益，确保中小学教师平均工资收入水平不低于或高于当地公务员平均工资收入水平，切实增强中小学教师的吸引力，唯有如此才能逐步改进教师队伍素质和水平，切实承担起培养社会主义事业建设者和接班人、实现中华民族伟大复兴的使命。

二、国家使命和公共属性：令人羡慕之职业特质

一份职业是否令人羡慕、其吸引力状况，通常成为判断该职业从业者身份和地位的社会标准之一。近年来，社会诸多行业也纷纷提出要增强本行业的职业吸引力，以使其成为人皆羡慕与向往的美好职业，如医生、律师、保险、农民等等。获得感、幸福感和成就感是社会各行业各阶层从业人员的主观偏好和共同追求，亦是某一职业内涵不断丰富和发展的客观要求。教师成为令人羡慕的职业，有其自身的职业特质。

百年大计，教育为本；教育大计，教师为本。党的十八大以来，习近平总书记多次就教师工作发表重要讲话。习近平总书记指出，教师培养的是德智体美劳全面发展的社会主义建设者和接班人、实现中华民族伟大复兴中国梦的主力军。习

近平总书记对各级党委和政府提出明确指示，要求从战略高度来认识教师工作的极端重要性，把加强教师队伍建设作为基础工作来抓，让教师成为让人羡慕的职业。十九大报告提出："建设教育强国是中华民族伟大复兴的基础工程，必须把教育事业放在优先位置……要培养高素质教师队伍，倡导全社会尊师重教"。《全面深化新时代教师队伍建设改革的意见》，作为新中国成立以来中共中央和国务院出台的首个专门面向教师队伍建设的里程碑式政策文件，集中凸显了教师职业的公共属性，强化了教师承担的国家使命和公共教育服务职责，确立了公办中小学教师作为国家公职人员特殊的法律地位。赋予教师职业的国家使命和公共属性成为教师这一令人羡慕的职业特质，显著区别于其他一般社会职业。

三、制度支撑与经费支持：令人羡慕之政策保障

教师职业被赋予国家使命和公共属性的特质和禀赋，使得其与社会一般职业相比，更需制度支撑与经费支持等国家公共政策资源的注入与保障。进入新时代，面对新方位、新形势、新要求，让教师成为令人羡慕的职业，由应然走向实然仍面临一些困境。如一些区域在教育事业发展中重硬件轻软件、重外延轻内涵的现象仍比较突出，师范教育体系有所削弱、高校师范优秀毕业生从教意愿不强，教师管理与评价过程中忽视对教师的人文关怀，教师特别是中小学教师职业吸引力不足，教师薪酬待遇在城乡之间、不同学科之间以及各级各类教育之间存在结构性失衡，少数教师师德师风失范引致教师职业形象崩塌等。这些问题给教师成为令人羡慕的职业蒙上了一层厚重的阴影。

教师成为令人羡慕的职业有不同方面，包括教师积极的职业心理体验、昂扬的精神风貌以及富足的物质生活条件。政策对教师职业的观照自然要回应教师职业发展的核心关切。无论是教师的薪酬待遇、职业归属、情感认同还是自我价值实现，要真正形成全社会尊师重教、社会优秀人才争相从教、教师人人尽展其才、优秀教师不断涌现的良好局面，必须从制度、经费等多方面综合施策，统筹制定令人羡慕的教师职业保障政策。

客观来看，社会转型期不同行业、不同职业必然存在从业者不同程度的精神体验与物质获得上不同层级的等级筛选效应。不同群体内部成员之间会围绕职

业心理体验、精神风貌以及物质获得等维度展开上行、下行与平行的比较，并因此诱发不同的认知评价与比较情感。其中，优越感主要是下行比较中经差异性检验后产生的向下对比效应，而羡慕主要是上行比较中经相似性检验后产生的向上同化效应。

由于所有从业群体都有追寻正性情感及逃避负性情感的诉求，因此，在设计支撑令人羡慕的教师职业制度设计上，政策制定者既要保障优势群体追寻优越感（学而优则教）的需要，并借助羡慕等正性情感激励潜在从教群体，也要注意优势群体规避焦虑、厌恶等负性情感的需要，防止教师从业准入门槛过低、师德师风失范所引致的教师职业崩塌，坚守与维护师德"一票否决制"底线。在建立农村教师保障政策方面，可借鉴国际上比较成功的经验，如美国家乡教师项目（Grow-your-own），从农村地区选拔优秀学生到当地高等教育机构、教师教育机构学习，学生毕业之后回到自己家乡的农村学校任教。

在提供教师经费政策的支持上，英国教师薪酬体系所呈现的均等化倾向管理办法、弹性激励机制、稳定又不僵化等做法有一定启示：一是调整国家基本工资与学校绩效工资的比例，使国家基本工资成为教师薪酬的稳定器；二是缩小教师基本工资的职称差异、学科差异；三是依据所在地区的实际生活成本，制定中心城市所在地教师的住房和生活补贴标准；四是整体提升教师的薪酬标准和外部竞争力，建立可预期的薪酬年度稳定增长机制。

让教师职业成为一个令人羡慕的职业，吹响了新时代教师教育改革的集结号，也为深化教师教育队伍建设指明了方向。

第三章
“双一流”能否五年建成：高等教育体制机制问题

世界一流大学和一流学科（以下简称“双一流”）的建设已成为我国高等教育在新时代、新形势下的新任务和战略举措。在全面建设过程中，有必要回顾我国高等教育重点建设的历史，审视过往实施过程中的经验和问题，立足本国，放眼国际，为各级政府和高校稳步推进“双一流”建设提供参考。

第一节 “双一流”政策解读

2017 年 9 月 21 日，教育部、财政部、国家发展改革委三部委公布“双一流”建设高校及建设学科名单，包括 42 所一流大学建设高校、95 所一流学科建设高校，共计 465 个一流学科建设点。

国际上世界水平大学（World-Rank University, WRU）的特征有研究卓越、学术自由、治理弹性、设施充足、资金充足，拥有高水平的学者和学生等。大学排名榜（global ranking）重视科研生产力（发表、引用）、国际知名学者和高水平学生的吸引力，以及其他文化和经济因素。

与之相较，我国“双一流”的建设目标在考虑高校本身发展的同时，将“双一流”与国家社会经济发展紧密结合。从“总体方案”等文件看，我国的“一流”有五个要素：一是“一流”的师资队伍，高层次人才队伍要活跃在国际学术前沿，满足国家重大战略需求；二是拔尖创新人才，高校培养的人才需要具有历史使命感和社会责任心，富有创新精神和实践能力，具有创新型、应用型、复合型特征；三是领先的科学研究水平，必须以国家重大需求为导向，为经济社会和国家战略作出重要贡献，具有一批国内领先、国际一流的优势学科和领域，基础研究水平达到国际学术前沿；四是传承创新优秀文化，一流大学必须具有推动社会进步、引领文明进程、各具特色的一流大学精神和大学文化；五是卓有成效的成果转化，一流大学和一流学科必须与经济社会发展紧密结合，是产业技术变革、创新驱动的策源地。"双一流"建设在建设目标上分为一流大学建设和一流学科建设，一流大学建设以一流学科建设为基础。

"双一流"建设的启动，旨在通过体制机制调整，破解原有高等教育重点建设产生的身份固化、竞争缺失、重复交叉等问题，以实现从高等教育大国向高等教育强国的历史性跨越。当前公布的名单是建设高校和建设学科，在后续建设中采取动态监测、跟踪指导的过程管理方式，高校必须按照两类布局，立足中国特色，合理定位、办出特色，实现差别化发展。

第二节　我国高等教育重点建设的历程与问题

一、高等教育重点建设的历程

我国高等教育重点建设从整体上可分为两个阶段，即重点大学阶段（20 世纪 50 年代—80 年代）和重点建设大学阶段（20 世纪 90 年代至今）。其中，重点大学阶段是赋予高校以重点这一"荣誉"，要求其培养高质量的各种高级建设及科研人才，为高等学校培养师资、给予其他学校帮助。重点建设大学阶段，国家将高校建设列入国家重要议程，投入专项资金集中支持高校建设。

重点大学最早可追溯到 1954 年，中央确定 6 所高校为重点大学，1959 年增至 16 所。1978 年，国务院最终确定 88 所全国重点大学。1984 年，国家将 6 所大学纳入"七五"重点投资建设项目，后增至 15 所。

20 世纪 90 年代，各国家各民族之间的竞争逐渐转向教育领域，科技人才的培养、劳动者素质的提高越来越依赖于教育。党和国家深刻认识到高等教育在培养创新型人才方面具有重要作用。为提高我国高等教育水平，加快国家经济建设，促进科学技术和文化发展，增强综合国力和国际竞争力，国家先后启动"211 工程"

和“985工程”。1995年，国家启动“211工程”，旨在面向21世纪，重点建设100所左右的高等学校和重点学科。“211工程”是新中国成立以来由国家立项在高等教育领域进行的规模最大、层次最高的重点建设工作。1999年，“985工程”启动，支持部分高校创建世界一流大学和一流学科。在实施过程中，为缓解“211工程”和“985工程”引发的竞争激烈问题，国家先后实施“特色重点学科项目”、“985工程优势学科创新平台”作为补充性政策。2011年，国家出台“高等学校创新能力提升计划”（简称“2011计划”），鼓励高校与科研院所、企业、政府以及其他社会机构共同搭建协同创新平台，推动高校与其他机构的深度合作，但因缺乏资金支持，项目没有产生期待中的活力。2013年，为振兴中西部高等教育，服务中西部区域经济社会发展，国家实施“中西部高等教育振兴计划”。2015年8月，中央深改组审批通过新一轮“双一流”的建设意见，2017年9月“双一流”建设正式启动。

二、高等教育重点建设的问题

新中国成立尤其是改革开放四十年来，我国高等教育在实践中走出了有中国特色的高等教育现代化发展之路，实现了跨越式发展。高等教育领域实施的系列重点项目，在特定时期集中有限资源为国家和地方经济社会发展输出了大量紧缺人才，一定程度上提升了高校的教学管理水平，但也暴露出以下一些问题：

（一）行政主导模式，改革动力不足

高等教育重点建设是计划经济时代的产物，具有明显的计划特征。重点大学建设均把各项工程纳入国民经济和社会发展规划中，为我国重点大学的快速发展提供了有力的外部保障，迅速构建高等教育宏观格局。在实施过程中，不断优化机制，建立协调机构决定重大问题，分期分批开展建设，保证了工程的推进和落实。

但是，自上而下的行政主导模式，给深化改革带来困境。其一，入选的重点高校受到行政意志的影响，形成身份固化和缺乏公平性的氛围，挫伤了未入选高校的积极性，影响大学间的学术生态与合作竞争机制。其二，重点大学建设的评价标准单一，导致高校普遍建设综合性大学，追求“高大全”，忽视学校的发展特色。其三，利益固守导致优质高等教育严重短缺，引发入学机会不均等、人才培养质

量、大学毕业生就业等诸多问题。

（二）高校建设重外延，轻内涵发展

在“211 工程”、“985 工程”建设期间，高校将提高高校服务地方经济建设作为重要目标，在学科平台、研究基地、重点实验室等设施建设上进行大量投入，改善了高等学校办学条件，提高了办学整体实力和培养高层次创新性人才的能力，高校在校生数增长迅速，为国家和地方培养了大量紧缺人才。

但是，重点建设大学期间，在重视高校设施、在校生规模等外延式发展的同时，高等教育的质量却受到忽视。其一，现代大学制度建设滞后，集中表现在高校缺乏充分的办学自主权，资源配置仍主要依靠行政力量、财务信息透明度不够。其二，行政权力过分干预学术权利，学术功利化、浮躁化。其三，高校内部评估重科研轻教学，影响教学质量的提高。其四，高校资源投入在教育培养、专业和课程建设、教学方式研究、管理体制等方面的重视和投入度不足。

（三）社会参与有限，缺乏可持续性

重点建设大学在推进过程中，越来越注重调动地方政府及其他优势力量的参与积极性，形成高校、地方政府和中央多元投资的局面，但是政府拨款依然是主渠道。

在重点大学建设过程中，社会力量参与有限。其一，遴选重点大学的主体单一，过程缺乏科学论证和公开程序，具体的决策由中央政府教育主管部门进行。其二，缺乏可靠的监督评估机制，由于评估机构的非独立性，难以确保评估方案的客观性，重点高校建设的评估随意性大。

第三节　“双一流”舆情态势

以“一流大学”、“一流学科”、“双一流”等为主题词，收集并选取整理中国知网、人民网、新华网、光明网、解放牛网、半月谈网、凤凰网等资源平台自 2016 年 10 月 16 日至 2017 年 10 月 27 日“双一流”建设引用率（转载率）较高的 300 余篇论文以及报道为舆情分析信息源，对“双一流”建设舆情事件的各方观点进行分析，探寻其对教育政策规划的启示。

一、各方观点呈现

（一）肯定与期待

持积极肯定态度的观点主要聚焦在四个方面。第一，对“211”、“985”工程建设的继承和发展。中国高等教育学会学术委员会副主任袁振国认为，“双一流”建设与“211”、“985”工程的建设是继承关系，“211”、“985”工程的建设为“双一流”建设奠定了非常好的基础。但它是一个新的起点，以前“211”、“985”政策支持的内容以及这些名称，在高校发展政策文件中都不会再出现，在现有政策中也不会再保持，它都会同等到“双一流”建设的计划当中去。

第二，扎根中国大地办大学。中国高等教育学会会长，教育部原党组副书记、副部长杜玉波围绕“怎样建设中国特色的‘双一流’”指出，“双一流”建设的根本立足点和出发点，就是要扎根中国大地，建设中国特色的“双一流”。离开这个本源谈“双一流”建设，就会偏离正轨，是不可能取得成功的。

第三，体现国家高等教育区域布局。厦门大学高教发展研究中心常务副主任史秋衡认为在 42 所一流大学建设高校中，分为 A 类、B 类，是出于优化高等教育战略布局。考虑到东北、中部、西南以及西北等地域，遴选东北大学、郑州大学、湖南大学、云南大学、西北农林科技大学、新疆大学等为一流大学 B 类。

第四，服务国家重大战略。教育部、财政部、国家发展改革委有关负责人就“双一流”建设有关情况答记者问中明确指出，一是把国家重大战略布局作为遴选“双一流”建设高校的重要因素，把“211 工程”、“985 工程”等作为重要基础，发挥“双一流”建设对区域、行业发展的支撑带动作用；二是扶持特殊需求。对于经过长期建设、具备鲜明特色且无可替代的学科或领域，国家经济社会发展迫切需求，但在第三方评价中难以体现的高校予以扶持。

（二）观望与存疑

“双一流”名单公布后，各类媒体对其调侃的段子屡见不鲜，表达了一种观望和存疑的态度，主要聚焦在四个方面。第一，换汤还是换药：“双一流”建设新在哪？部分民众热议，本轮“双一流”建设是否成为之前“211/985”工程高校建设的翻版。“双一流”建设的重点在于打破以往“211/985”工程高校建设的身份固化问题，以构筑动态的“双一流”建设的正向激励机制。但是，民众认为如何平衡各方利益，打破原有的类似于“211”、“985”工程身份固化问题，真正形成科学的“双一流”建设入选高校有进有出的动态调整机制，政府相关部门并未提供相应的政策方案。

第二，效率还是公平：一个值得警惕的公共政策议题。“双一流”建设是国家集中优质资源对重点高校、重点学科做出的财政投入优先级制度安排，效率是“双一流”建设的内驱力。然而，如何兼顾其他未入选高校、未入选学科的协同发展，民众仍处于观望之中。另外，据里瑟琦智库的研究：根据胡焕庸线，发现中西部入选高校、学科的数量远低于东部地区。这又带来了另外的问题：“双一流”建设是否会加剧区域高校资源争夺战中新的“马太效应”?

第三，起点而非终点：对入选事件性质的中肯认定。21 世纪教育研究院副院长熊丙奇认为此次遴选认定所产生的是“建设”高校及“建设”学科，是迈向世界一流的起点，而不是认定这些学校和学科就是世界一流大学和一流学科，能否成为世界一流大学和一流学科还要看最终的建设成效。

第四，一流大学还是一流学科：民众的困惑。“双一流”建设是国家在人才培养战略层面的部署安排，调整着国家和个人教育行为选择的价值统一。然而个体在面对“一流高校”与“一流学科”二选一的两难抉择中，仍会面临这样的困惑：即在其他条件允许的情形下，选填高考志愿是优先报一流高校的非一流学科还是一流学科所在的非一流高校?

（三）隐忧与关切

隐忧与关切的观点主要聚焦在三个方面。

第一，“四非”高校的落寞。“双一流”建设本质是在国家重大发展战略层面，集中国家有限教育资源，加强对少数优质高校及学科的支持力度。然而，如何形成我国高等教育协同发展的舆论氛围，增强“四非”高校（非“211”、非“985”、非“一流大学”、非“一流学科”）在教育政策改革中的存在感与获得感，成为有关高校、学生及其他社会民众的普遍关切。

第二，网友的笑侃。部分网友对于“双一流”建设高校入选的标准基于个人立场，质疑“双一流”建设入选方案的部分结果。如“我家大学这么努力，怎么还是没上榜?”“华南农学哪家强？华南理工大”“一起来学中医药”等调侃式的吐槽评点为社会民众所熟知。

第三，经费拨付：政策利益的追逐焦点。关于经费使用，学界和其他社会民众历来都较为关心。显然，经费拨付旋即成为“双一流”建设争论的焦点。政策直接受益方自然满怀欣喜，而未能进入者则心怀忧虑牢骚。无论如何，“双一流”建设涉及的庞大公共财政经费支出可能造成的校际公平、公共财政经费投入效益、教育支出廉洁风险等问题也成为广大社会民众的重大关切。

二、舆情启示

（一）“双一流”建设应兼顾效率与公平

既要效率、又要公平，这当然是个难题，但并非完全无解。北京大学中文系教授、教育部“长江学者”特聘教授陈平原认为我们在推进“双一流”建设时，须认真考虑如何帮助高等教育水平相对落后的西部地区，防止“马太效应”加剧。“什么时候我们国家的重要人才不仅出在北大、清华等名校，也出在西部教育水平相对落后的大学，那将是我国高等教育成功的一个重要表征。”由此提出了“双一流”建设的“马太效应”难题。

“马太效应”不仅体现在入选与非入选的高校之间，在入选高校之间也客观存在。然而，高校建设中的“马太效应”问题，单凭教育政策改革不可能破除这一积弊。即便如此，政策制定者应考虑相关的救济政策，以弥补长期处于社会政治经济发展不利区域的高校及其学科发展，并弥合“双一流”建设内部高校间的资源投入鸿沟，兼顾效率与公平，形成不同区域、不同层次高校的协同发展。

（二）积极关注并引导“四非”高校的发展

“四非”高校尽管在整体上与“双一流”建设高校存在一定差距，但应引导其在国家“双一流”建设中，立足区域（所在省市区），面向经济发展和社会建设主战场，切实提升学校办学影响。

一是，主流媒体要积极关注地方高校发展。媒体在关注“北清复交”等知名高校的同时，也要宣传报道地方高校的办学探索和成果经验，帮助他们尽快形成特色、树立品牌，让这类高校在“双一流”建设中增强存在感和自信，找寻自身发展定位。

二是，引导“四非”高校进一步对接所在地方行业产业、企业和政府需求，寻求战略合作和资金支持。产教融合、校企合作并非“双一流”高校的专利，“四非”高校应积极寻求与地方政府、企业的深度合作，在服务地方经济和社会发展的同时，找寻学科发展与学校核心竞争力提升的抓手，在教育体制机制改革中切实增强获得感。

（三）一流大学还是一流学科：回归名实之争

一流学科是一流大学存在的内核，是唯识论的范畴；而一流高校是一流学科发展的载体，属于唯名论范畴，二者呈现内容与形式的对应逻辑。在“双一流”政策制定与完善的过程中，应注重对这一逻辑关系的审视，强化对无一流学科或者一流学科较少的入选一流高校建设的督导评估，形成倒逼机制，引导其在提升综合竞争力的同时，进一步形成自己的核心优势学科；而对一流学科较多的非一流高校，应鼓励其综合水平的提升，重点关注其一流学科联动建设的行为表现。二者构成“双一流”建设进出机制的重要组成部分，表现出互相转化与对立统一。因此，在“一流大学”还是“一流学科”的两难选择中，政策设计应坚持唯识论的价值取向，设计符合相应的制度措施，引导个体、用人单位、社会与国家教育行为选择的价值取向相一致，遵循政策损益补偿规律，形成对个体教育行为选择的正向激励，将一流学科同一流大学的选择置于专业、行业、产业发展及其周期律的宏大视野中，找寻问题解决的最优路径。

（四）“双一流”建设配套政策的完善、联动至关重要

“双一流”建设配套的教师政策、经费政策、质量政策以及其他相关配套政策的完善与联动至关重要。在“双一流”战略下，大学教师政策（师资建设）、质量政策（绩效评价）、经费政策（拨款机制）都将发生重大变化。经费政策更加突出绩效导向，注重全球范围内一流教师队伍和人才的选聘，资金分配更多考虑办学质量特别是学科水平、办学特色等因素，重点向办学水平高、特色鲜明的学校倾斜，在公平竞争中体现扶优扶强扶特。如何形成相关配套政策的联动体制机制，汇聚“双一流”建设的合力至关重要。

第四节　国际借鉴与启示

一、世界一流大学建设经验

我们以美国具有百年建校史的老牌世界名校：哈佛大学、斯坦福大学、普林斯

顿大学、耶鲁大学、剑桥大学、牛津大学，及新兴世界一流大学：香港科技大学和南洋理工大学等为例，观照其建设经验。

（一）软力量是最大内驱力

软力量主要指以危机和忧患凝聚共识，以卓著理念引领发展。

以危机和忧患凝聚共识。美国经常用两种正反配对的策略，来吸引教育投资和关注。表面上好像让人费解，但实际上包含了深刻的战略意蕴和人文底蕴。美国除1945年出台著名报告《科学——没有止境的前沿》、1958年出台《国防教育法》和1960年发表《西博格报告》等正面引导大学、支持投资大学发展并促其奔向世界一流目标之外，还有一个基本策略，就是经常使用“危机警醒策略”以便唤醒民众关注教育发展、支持国家教育投资。如1983年美国国家优质教育委员会发布的《国家处于危机之中：教育改革势在必行》报告，从反面呼吁民众支持大学教育。当然，仅依靠政府警钟长鸣是远远不够的，美国各所一流大学带头发挥危机引导作用才是最关键的。近年来，美国学者围绕“大学危机”又在进行深入反思，如哈佛大学前校长德里克·博克的《回归大学之道——对美国大学本科教育的反思与展望》，哈佛学院前院长哈瑞·刘易斯著《失去灵魂的卓越——哈佛是如何忘记教育宗旨的》，耶鲁大学法学院前院长安东尼·克罗曼所著《教育的终结：为什么大学教育放弃了人生意义》等，世界高等教育强国和顶尖名校，不断以居安思危的姿态审视自身的发展，或许是其不断超越发展的关键动力所在。

以卓著办学理念引领大学发展。哈佛大学查尔斯·埃利奥特任校长时，提出教育要培养适应个性发展和社会发展的“完整的学生”，即“特定历史时期，课程要适应社会发展需要”的理念，这奠定了哈佛大学的至尊地位。英国的牛津大学、剑桥大学并非是最早出现的大学，它们之所以能在欧洲众多的古典大学中彪炳史册，就在于较早地突破了宗教的束缚，以“追求学术性，培养有教养的人”为其办学理念。香港科技大学建校之初即树立起“教学和研究必须并重”的理念，不仅提升了其自身的科研实力与学术水平，还带动了香港其他高校对科研的重视，提升了香港的整体学术水平。新加坡南洋理工大学“教学工厂”的办学理念闻名遐迩，在理念指引下所提出的“市场导向、柔性系统、能力开发、国际合作、重应用重开发、面向世界”的办学策略，使其成为高等职业教育的国际性典范。可见，无论是百年名校，还是年轻高校，提出一个符合自身定位的办学理念，并一以贯之，是一所大学卓尔不群的核心所在。

（二）汇集英才

在汇集人才方面，美国的做法可谓“高端”而“精妙”。“高端”主要体现在通过提供学术中心及顶尖项目集聚全球精英，“精妙”主要指，逐渐将全球名校纳入美国大学的循环体系，以实现在顶尖人才的招、用、留方面的良性循环。

占领全球教育生态循环体系的优势地位。客观地说，世界已经形成了以美国大学为学术中心的精英人才循环教育体系。不少发展中国家或地区都希望美国名校为其培养精英人才，于是发展中国家的众多高中名校甚至重点大学群体，都为美国一流大学输送人才，而美国最终往往以无可匹敌的经济实力把培养出来的优秀人才挽留下来，为美国国家利益服务。少数归国者，也是美国价值观的认同者和传播者，对美国有百利而无一害。这客观上造成了美国一流大学高居全球大学体系的“顶层结构”，而其他国家的名校成为位居其下的“基础结构”。由于“尖顶只有一个”，于是美国只需建设好“顶层结构”就可以使其大学体系傲视全球，赢得世界，从某个角度来说，这不仅是美国大学成功的关键，更是维护美国强国地位的关键，策略可谓精妙之至。

提供凝聚全球精英的学术中心和顶级项目。长期以来，坚持以顶尖科学研究项目吸引、凝聚全球精英，一直是美国一流大学建设最显著的战略。菲立普·阿尔特巴赫教授指出：美国的研究型大学之所以能从全国乃至全世界录取最优秀的学生，雇佣最有才华的教授，这些科学家和学者多数是被学校的研究导向、设施及更有利的条件所吸引。在美国，每所著名大学都有各种各样的科研项目，它们或是各级政府投资，或是慈善基金会支持，或是各种财团支持，或是个人投资，而且都给予相对宽松、自由、开放的鼓励政策。美国政府通过重点投资引导大学的发展和境界的提升，典型案例是：美国研究型大学参与了20世纪最伟大的三大科学工程——曼哈顿工程、阿波罗登月计划和人类基因组计划。可以说，这是美国一流大学凭借得天独厚的学术资源对接国家战略需求的模范，参与大学有哥伦比亚大学、加州大学伯克利分校、斯坦福大学、麻省理工等研究型大学，可以说正是一流研究型大学的积极参与和巨大推动，美国才在科学研究上遥遥领先于各国，同时使得美国世界一流强国的地位不可撼动。

（三）制度设计

制度是激发组织活力，保障组织发展最有效的手段，尤其是投资制度和内部管理制度。

多元教育投资制度保证大学自由、开放、高质量的发展。美国教育投资的多元化包括国家投资、私人投资、企业投资、慈善投资等。这种设计可使大学对美国政府的依赖不如发展中国家那样强，却能保证自身的自由发展，而其市场化运作经费，更是激发了大学的竞争，有益于保证大学的高质量和高水准。如：普林斯顿大学每年7亿美元的经费开支来源于多个渠道，除科研经费外，校友捐赠、专利费、教育基金的运作所带来的高额回报使学校年收入达15亿美元。2004年，哈佛捐赠资金达到225亿美元，名列美国高校第一，大致相当于一个欧洲小国的GDP，耶鲁则以127亿美元名列第二。事实上，美国学生资助来源也是如此多样。有学者研究指出，"现在，美国联邦财政每年为大学生提供约500亿美元的资助，超过55％的本科生从联邦、州、私人资金接受一定程度的资助，平均每个学生为6 256美元，对研究生的财政资助所占比例更高，超过60％的研究生接受某种形式的财政资助，平均每个人为13 255美元"。正是教育经费来源的多元化，运作方式的市场化，使得高校能够拥有充足的经费，支撑高质量的发展。

创造性的内部管理制度保障大学稳步前进。普林斯顿大学之所以能够人才辈出，声名远播，不仅归功于其严谨的学风和自由的学术传统，也归功于制度的保障。普林斯顿的"终身教授评定制"、"导休制"、"荣誉制度"、"全额奖学金制度"等，从"教师和学生"、"精神和物质"、"教学和管理"等多个方面保障了普林斯顿的卓越发展。英国的牛津大学、剑桥大学，在突出学术性办学理念指导下，开创基础研究、学院制、导师制等制度，培养了大批世界级大师人才。至今，剑桥大学有诺贝尔奖获得者60多人，为世界大学之最。英国首相中的绝大多数都出自这两所大学。斯坦福大学创立了符合学校发展理念的教师聘制——参与社会大循环的人才流动机制：教师可以调离学校办公司，也可以既当教师又办公司，学校也可以聘公司人才任教师，这使得斯坦福在科学、技术、产品一体化和科学家、工程师、企业家一体化中，一直走在最前列，保障了斯坦福大学源源不断的创造力，也成就了"硅谷"的持续发展。香港科技大学建校的目标之一是办成一所不同于传统的世界顶尖大学，因此，其制度设定都围绕目标的实现而确立。在拨付巨额筹建资金时，香港政府未附带任何条件与框架，目的是保障香港科技大学高度的自治权，宽松的制度环境为香港科技大学在各方面的创新提供了保障。南洋理工大学根据"全方位教育，培养跨学科博雅人才"的人才培养目标，将"无界化"理念推介到以教学为中心的组织管理中，灵活构建教学与工作团队，使不同学科，专业和技能专长的教师密切合作，确立了有效促进内部组织之间跨学科教学与科研的管理制度。

二、国外一流学科建设经验

"学科建设"是一个中国化的名词，国外一般不单独研究此问题，而是较多关注学科的形成发展、分布及对于提升大学地位的重要作用等。学科建设水平的高低左右甚至奠定着大学的国际地位和学术声誉。

(一) 创新、交叉和引领构成学科建设理念

提升学科解决重大现实问题的能力和原始创新的能力，抢占知识生产和科技创新的战略制高点至关重要，这不仅是社会发展要求，也是一个学科持续进步的源动力。麻省理工学院在成立之初就带有强烈的时代烙印，其创建人罗杰斯正是看准了当时的美国工业市场对工程和技术人才的需求，因此设立了以机械、土木工程和化学为绝对核心的 MIT。它的应运而生不仅为美国在工业革命高歌猛进之时培养了大量的工程科技人才，也奠定了自身至今难以撼动的世界工科特色名校地位。到了二战和冷战时期，MIT 又一次站在了最前沿，为美国制造出众多最尖端的高科技武器，也因此获得"战争学府"之名。

在当今学科既高度分化又高度综合、协同创新的背景下，科层组织与矩阵结构相结合的管理体制是国外高等学校学科建设管理的突出特点。加州大学伯克利分校，仅文理学院下就有 40 多个系，另有 19 个专业组和 10 个本科生跨系组织。麻省理工学院，设有建筑和城市规划分院、工程分院、人文与社会科学分院、斯隆管理分院、科学分院、怀特卡保健科学技术与管理分院等 6 个学院，下属 22 个学系以外，还设有人工智能实验室、贝特斯直线加速器、生物技术处理工程中心等 44 个跨学科的研究中心和实验室。建立跨学科组织，开展跨学科研究，快速产出成果，快速创生新学科。而新学科的持续生成也是一个大学的活力所在，是提高大

学竞争力的基础。

一流学科的引领性体现在与国家发展战略相匹配，为经济发展、社会进步、文化繁荣做出贡献。“硅谷”就是斯坦福大学坚持人才培养、科学研究和社会服务一体化的结晶，这一设想由当时的副校长特曼提出。在“学术尖顶”战略实施的过程中，通过出租学校闲置的土地给工业界办厂来获得稳定的租金收入，再利用租金高薪诚聘一流的教授，依靠这些教授把一些有条件的系科办成人才培养和科学研究的学术尖顶。这一战略不仅创造了“硅谷”奇迹，也使斯坦福大学的物理、电子工程成为世界一流。

（二）大师招牌和国际合作成为资源获取新形式

大学作为资源依赖型的机构，优秀教师和学生为核心的人力、优秀文化和卓越声誉为核心的组织、充裕经费和先进设施为核心的物质等资源是构建学科竞争力的基础。

研究加州理工学院的腾飞历史可以发现，该校处于世界尖端的学科背后都有该领域的名家大师坐镇。如阿瑟·诺伊斯任化学学科带头人（1919），罗伯特·密立根任物理学领域带头人（1921），冯·卡门领导航空航天科学及古根海姆航空实验室（喷气推进实验室的前身）建设（1926），托马斯·摩尔根负责生物学部的筹建和发展（1928）等。名家大师坐镇的“招牌效应”不仅奠定了学科世界超一流的地位声望，也吸引众多年轻学者加盟，形成一流团队。

发展历史不足50年的瑞士联邦理工学院近年来黑马般地傲立在前有“哈耶牛剑”等老牌名校的QS榜单及THE榜单第十位，且力压南洋理工大学、香港科技大学占据世界年轻大学排名榜首，其最强势的工程和科技学科名列该学科世界排名第五。瑞士国土面积不大，人口较少，此背景下勇于开拓国际市场，通过加强国际合作来获取战略发展资源便是其腾飞的秘诀。从2007—2012年的181所世界500强高校的科研经费增幅统计中发现，瑞士联邦理工学院的年度科研经费增幅近40%，超越了60%的国家。积极争取国际重大合作项目并从中获取资助、广泛参与国际共享科研基础设施、与企业签订合同让国际社会和大型跨国公司从学校那里购买服务等，都是其获取发展资源的渠道。

（三）学科本身成为一流建设的主体

“一流学科建设不应成为大学与政府的‘共谋’，而应完全属于大学内部学术自治的范畴”。在我国现阶段“重资源投入，轻制度建设”的情况下，学科建设的关键是“建组织”。针对我国大学在学科建设中主体缺位和错位、学科建设行政化色彩明显和组织结构金字塔过高导致效率低下、信息不畅等弊端，与我国中央集权的教育体制相似的法国近年来有关大学自主权的改革值得借鉴。

法国通过1968年《高等教育方向指导法》、1984年《高等教育法》和2007年《综合大学自由与责任法》三部法律持续推进大学自主权的改革，着力解决被诟病已久的高等教育财政投入绝对依赖政府、大学自身管理缺失、缺乏透明度和国际化程度不够等问题。尤其是力度空前的《综合大学自由与责任法》，明确表示将包括财政预算、人力资源和房产所有在内的三大权力完全移交给大学本身。如大学获得完全的财政预算权，政府通过“多年合同制”、“总经费预算”、评估等制度对大学进行宏观管理和监督。校长和行政委员会成为大学权力的核心，校长成为真正的领导者，而行政委员会、科学委员会成为大学的战略咨询机构。从此，国家从以往事无巨细的直接管理人转变为大学的合作人、监督人和资助人，大学与政府间以契约关系代替监护、行政关系，以契约形式强制大学承担政府期望大学承担的责任，使法国高等教育释放了新活力。

第五节 “双一流”建设新思考

“双一流”建设名单已经尘埃落定，我们的关注点应集中于高校未来的发展和新一轮“双一流”推进的完善。尤其是高校内部，应在“双一流”视角下实现自身改革与发展，这是当下最核心、最重要的任务。因此，我们从高校内部各要素着眼，提出相应对策建议。

一、高校应如何落实“双一流”建设

（一）问责机制实现有法可依

一方面，有效且可信的问责体系要能够容纳更多的社会参与，能够更多地接纳“外部监督者”的意见和建议；要维持利益和价值的多样性，而不是强调统一性，

但要避免评价和监督的随意性。另一方面，国家要对大学发展予以权利保障，而大学也要充分实施自己的权利，突破以往怕触底线而因噎废食的壁垒。具体来说，政府对高校问责的每一项权利都必有明确的法律依据，遵循“法不授权不可为”的原则，要在制度上真正给予大学管理者和教师参与治学的权利，并且各项权利清单要向全社会公布，接受社会监督和质疑，社会的监督和评估也要有一定的法律依据，保障其结果的有效性。对大学来说，要遵循“法不禁止即自由”的原则，充分发挥办学自主权，落实各项权利和义务，凝聚各方力量勇于突破、敢于创新。

（二）学科建设和谐共融

从战略角度来看，“双一流”建设立足学科发展的内在关联性、遵循学科优势互补的原则，旨在推进基础型学科、应用型学科、新兴学科等共生共融、协同创新，彰显学科群的内生联动力量，构建良好的学科生态。这就要求我们，要在有所侧重的同时统筹兼顾，实现学科群的联动机制，激发学科互相支撑、补充融合的潜在活力。一方面，一流学科得到更多助力可以更快更好地发展，实现资源合理配置和共享；另一方面，学科群协调发展，也有利于优化“双一流”建设的整体路径，弱化排名效应，避免纵向脱节和攀比，保障学科和大学的横向联动，实现学科与大学的可持续发展。

（三）师资队伍应凝聚新生力量

“双一流”建设包括学科方向凝练、人才聚集与成长、学科平台优化、科研能力建设、人才培养质量与社会服务提升等诸多领域，这些项目的实施必然会涉及大学、政府、社会与市场之间的沟通与协调。因此，“双一流”建设应该有一个整体性的体制，使不同职能部门、院系和学科之间能够形成稳定而坚定的合作。既要明确领导责任和优化学科资源配置机制，又要创新人才聚集和成长机制，提升学术活力，在人才发展机制体制上更加科学高效，人才评价、流动、管理机制更加完善。因此，“双一流”建设应将引进和培养青年学术领军人才作为首要任务，对学术实力与潜力雄厚的青年人才加大资助力度；加强与一流大学或科研机构之间的交流，培养他们开阔的国际视野、一流的创新能力，形成梯队性的学术队伍结构。

（四）立德树人以培养一流人才

从单一的教学向科研、社会服务等多元职能演进，表面上看是高等学校的学科功能出现了分化，而实质上是人才培养方式的变化。国务院印发的《统筹推进世界一流大学和一流学科建设总体方案》将“以立德树人为根本”作为“双一流”建设的指导思想，以“培养拔尖创新人才”为重要目标，因此，“双一流”建设必须以培养一流人才作为首要目标。“学科乃是集教学、研究等活动和师资与其他条件为一体的育人平台，学科建设的重要性是无可置疑的，但大学的学科建设必须以‘育人为本’。”这说明学科建设与立德树人是同步的。因此，“双一流”建设既要充分挖掘既有优势学科在育人科研中的积极因素，增强制度供给激励科研与人才培养的有机融合，又要消除学科之间的隔离，加强学科之间的配合与融通，形成多学科综合育人的“合力”，凸显“双一流”建设的根本理念，保证“双一流”建设的可持续性。

二、新一轮“双一流”建设的展望

（一）“双一流”建设应面向创新与特色

“双一流”建设不仅要遵循学科逻辑，在国际可比指标上达到一流；而且要遵循社会需求逻辑，服务国家创新驱动发展战略。因此，在评选标准上不应只考虑可见的论文数量等可量化的指标，更要立足于本国国情和发展，对给社会生产和经济发展创造价值的、对社会文化创新产生重要影响的指标也应该作为考察的内容。在着眼国际的同时，重点扶持具有民族和区域特色的大学和学科，鼓励本国教育文化的发展。

（二）评审流程应走向国际化和多元化

首先，要构建具体的、可操作的、科学的评价指标。在公布的文件中，对“双一流”的评选标准只是宏观的、战略性和方向性的要求，对标准细则和指标分类则没有明确说明。在今后的实施和推进中，应构建明确且具有操作性的指标体系，量化指标和质化指标的权重占比应具有一定的科学性。其次，评审委员会成员可适当纳入国际权威专家。“双一流”建设的立足点在于国际视野，评审委员虽然已经囊括社会各界人士及第三方机构人员，力图实现评选结果的公平，但适当加入国外专家学者参与，既可以达到互通互融的效果，又能在一定程度上提升评价结果的国际公信力，增加世界影响力。

（三）政策扶持应体现公平与均衡

加强“双一流”建设的区域均衡发展战略。首先，除了少数旗舰型大学，多数世界一流大学应该有清晰的区域定位。在高校遴选上，对那些能参与科学技术地方转化、改善社区和弱势群体环境的高校给予重点倾斜，在建设目标以及考核上纳入区域要素。其次，建立区域政策补偿和倾斜机制。一些地区的高等教育水平不高，特别是一流大学及学科严重不足，并不完全是自身建设能力问题，而是在各类资源配置过程中逐步丧失机会所致。对政府支持的“双一流”建设，政府需要在经费和配套措施上给高等教育欠发达地区以补偿和倾斜。这种补偿和倾斜机制不仅仅是扶弱，更重要的是建立一个均衡发展的高等教育系统，并以此解决相关的招生名额分配、区域经济社会发展等问题。

第四章
牵一发如何动全身：聚焦新高考改革

迄今为止，中国高考施行的是全国统一制度，这一制度始于1952年。在新中国的高考改革历程中，有两个关键词，一个是“文革”，一个是“恢复高考”。前者认为统一高考“没有跳出资产阶级的框框”，是国家社会发展的“祸害”和“垃圾”；后者认为高考是“办好教育”—“人才培养”—“科技发展”—“国家现代化”的有效制度。改革开放以来数次高考改革，是后者逻辑的继承和发展，同时也无可避免地回应着统一高考制度受制于社会发展的瓶颈。

2014年9月4日，国务院公布了《关于深化考试招生制度改革的实施意见》，明确上海和浙江“一市一省”作为高考综合改革试点地区，要求率先出台高考综合改革试点方案，从2014年秋季新入学的高中一年级学生开始实施。至2017年7月，上海和浙江作为试点省市已基本完成第一轮高考改革试点工作。

本章审视高考的功能定位，回顾历次高考改革，分析其目标和目标偏离原因，透视新高考试点的措施与问题、创新与突破，并观察韩美两国高校招生考试的历史和现状，以期为我国推进高考改革提供借鉴。

第一节　高考的定位与功能

选拔人才、促进公平、引导基础教育、衔接基础教育与高等教育等是目前学界对高考的基本功能定位。

一、以评价实现人才选拔和引导素质教育的实施目标

高考最大效度地实现了人才甄别与选拔的功能。高考制度不断改革和深化，其最终目的是实现其评价效能，同时搭建基础教育和高等教育的桥梁，使学生素质得到发展。

高考功能的实现具有深远的理论和现实意义。首先，有利于构建中国特色考试制度的理论框架。其次，从现实意义来看，高考最核心的职能即为高校选拔合格新生，保障高校生源质量。高考作为目前相对科学的测量工具，让所有应试者接受相同的挑战，将个人的才学和能力放在首位，因而被视作较为客观和公正的选拔制度。

二、以教育公平促进社会公平的目标

以高考分数为主要录取依据体现了不以人的主观意志为转移的客观趋势，避免了用权力、金钱或关系引起的不正当竞争，所以统一高考是维护公平竞争、维护竞争秩序的有效手段，是适合中国国情的考试制度。

高考改革最大程度上体现了社会公平。教育公平是社会公平的基石，高考公平则是教育公平的重心。在某种程度上说，高考改革是平衡社会力量的杠杆，高考公平事关国家稳定大局。作为一项大规模的考试制度，由国家主持的统一考试，无论在经济效益上，还是在考试结果的科学性和权威性上，都具有更高的信度和效度，为考生提供了经济便利的报考条件和公平合理的竞争机会。

第二节　历次高考改革及目标

一、不同时期的高考改革

（一）高考制度建立时期（1949—1965）：建立统一的招考制度

新中国成立初期，各高校受民国教育传统的影响多采取自主命题、单独招考、

灵活录取方式，没有录取分数线问题，学生也可以同时报考多所大学，可同时被多所大学录取，有特别专长的学生可破格录取。但是，这种高校独立命题招考的方式没有与中学教学相衔接、文理专业也出现失衡问题。新中国成立后，在各种内、外因素的共同作用下，教育部于1952年6月发布《关于全国高等教育学校一九五二年暑期招收新生的规定》，规定全国高校除经教育部批准的个别学校外，一律参加统一招生。招生日期、考试科目、考试命题、政审标准、健康检查、新生录取等事项由全国统一规定实施，采用统一分配制的录取方式。全国统一的普通高等学校招生考试，是我国教育史上的一个具有"现代教育"意义的重大改革，也是我国目前高考制度的雏形，基本实现了改革的最初目标。

（二）高考制度废除时期（1966—1977）："彻底改革""资产阶级"的招生考试办法

1966年6月13日，中共中央、国务院就发出通知，声称以往的招生考试办法"基本上没有跳出资产阶级的框框"，必须"彻底改革"。5天后，《人民日报》又发表社论，以更激烈的言辞抨击高考制度，宣布要将它"扔进垃圾堆里去"。高考成了被打倒的对象，全国高校随即停止招生。此后全国统一高考招生停止达六年之久，严重影响了人才培养和国家发展。

1972年，高校试行推荐入学制度，"选拔具有二年以上实践经验的优秀工农兵入学"，取消文化考试，采取自愿报名、群众推荐、领导批准、学校复审的办法（推荐制）。

（三）1977年恢复高考：实现现代化关键靠科技，发展科技、培养人才从教育入手

1975年1月，邓小平短暂恢复工作，出任国务院副总理，开始着手对各方面的整顿。9月26日，邓小平与中国科学院的领导同志进行了一次谈话，表达了对当时高校办学和招生状况的忧虑："大学究竟起什么作用？培养什么人？有些大学只有中等技术学校水平，何必办成大学？科学院要把科技大学办好，选数理化好的高中毕业生入学，不照顾干部子弟。""一点外语知识、数理化知识也没有，还攀什么高峰？中峰也不行，低峰都有问题。我们有个危机，可能发生在教育部门，把整个现代化水平拖住了。"就是在这次谈话之后，一句金言在社会上流行开来："学好数理化，走遍天下都不怕。"可此后不久邓小平再次被打倒，他关于改革招生制度的想法没能实现。1977年5月邓小平在一次谈话中说："我们要实现现代化，关

键是科学技术要能上去。发展科学技术，不抓教育不行。靠空讲不能实现现代化，必须有知识，有人才。没有知识，没有人才，怎么上得去？科学技术这么落后怎么行？”8 月，邓小平主持召开了一个科学与教育工作座谈会。有人讲到清华大学的教育质量时说，现在很多人小学毕业的程度，补习了 8 个月就学大学的课程，读了 3 年就毕业了，根本没有什么真才实学。邓小平不满意地说：“那就应当叫‘清华中学’、‘清华小学’，不能叫大学。”邓小平当机立断：“既然大家要求，那就改过来。”“今年就要下决心恢复从高中毕业生中直接招考学生，不要再搞群众推荐。从高中直接招生，我看可能是早出人才、早出成果的一个好办法。”10 月 12 日，国务院批准了教育部《关于 1977 年高等学校招生工作的意见》并指出，“为快出人才，早出成果，……努力提高招收新生的质量，切实把优秀青年选拔上来”，规定凡是工人、农民、上山下乡和回城知识青年、复员军人和应届毕业生，符合条件均可报考。考生要具备高中毕业或与之相当的文化水平。招生办法是自愿报名，统一考试……高考制度恢复了。

（四）高考改革的酝酿发展（1979—1998）：择优统招，减少科目，试点保送，维护公平

从恢复高考到 20 世纪 80 年代初，各界一直讨论考试如何兼顾德智体全面发展，国家在高考的公平、公正、合理、全面的探索上作出了积极努力。此后的高考重建进程，总体上是恢复和完善文革前的一些做法，延续的是“十七年教育”的逻辑。同时，伴随学生学业负担的逐渐加重以及兼顾区域教育资源的现实差异，高考改革进入酝酿时期。1985 年中共中央发布《关于教育体制改革决定》明确规定“改革高等学校的招生计划和毕业生分配制度，扩大高等学校办学自主权”，即改变过去高等学校全部按国家计划统一招生，毕业生全部由国家包下来统一分配的办法，实行国家计划招生、用人单位委托招生、招收少数自费生等三种招生办法。1985 年以后，高考在减少考试科目、考试分数、录取方式上进行了改革，推行“3 + 2”考试方案（上海试行“3 + 1”方案），实行标准化考试（但后来由于老百姓对标准分不易理解而被取消，实际上并没有实现这一目标），在北京大学等 43 所高等学校进行招收保送生的试点。

（五）高考改革的深化时期（1999—2009）：选拔人才，引导素质教育

1999 年 2 月教育部颁布《面向 21 世纪教育振兴行动计划》，成为我国新一轮高考改革向纵深发展的背景和基础。同年，教育部颁布《关于进一步深化普通高等学校招生考试制度改革的意见》，以“有助于高等学校选拔人才、有助于中学实施素质教育、有助于高等学校扩大办学自主权”作为三项原则，包括考试内容、科目设置、考试形式、考试次数、录取手段、选拔标准、考试组织、评价及监督等诸多方面的改革，“突出能力和素质的考查”。随后，开始推行“3 + X”科目考试方案，21世纪初实行自主招生试点扩大高校自主权，扩大“统一考试，分省命题”的范围。

二、高考改革背后的利益博弈

（一）教育内部各主体价值取向博弈

1. 考的逻辑 VS 教的逻辑

高考可以被看做是国家意志与学校教育活动之间的一个媒介，通过高考的科目设置和命题设计，可以将国家意志贯彻到基础教育中去，也可以通过科目增减和考试内容的比重调整，来调控或促进某些育人目标的实现。高考与基础教育的理想关系是教什么考什么，实现教和考的统一。高考指挥棒如果运用得当，能促进学生能力提升和素质发展，引导学生身心健康发展，因此高考对实施教育方针、引导办学方向具有重要作用。然而，在现实中往往是考什么则教什么，表现为“片面追求升学率”，这就违背了教育规律。因此，学校往往容易陷入遵循教育规律和学生身心健康发展为主还是以高考为先、应试为主的两难抉择中。

2. 全面发展 VS 个性发展

考查共性还是考查个性，是长期以来高考改革的争论焦点。高考主要考查学生的“全面发展”状况，而从高等学校对于创新人才培养的角度来看，希望接受更多富有个性的学生，这就和考查共性的招考理念形成悖论。单以考分为例，同一种试题模式，尽管各省在 X 科目上有些差别，尽管各高校录取的分数线有高有低，但依然很难满足不同类别高校对于培养目标的差异要求。所以，对于人才培养的多元要求是解决教育内部博弈现象最为重要的部分。

（二）教育外部各主体价值取向博弈

高考的本质不是单纯的大学招生考试，也从来都不单纯是教育内部的事情，它关系到社会公平、社会稳定和国家发展前景，这也是建国以来的历次政治运动中，教育领域的高考都成为社会转型的“突破口”的重要原因。

1. 统一考试和优惠政策：社会公平的平衡点难以把握

由于我国城乡、地区之间的经济社会发展差异较大，优质教育资源还比较匮乏和不平衡，社会诚信和监督体系尚未有效健全，因此，在招考过程中国家出台一些优惠政策，如“特长生加分政策”“少数民族加分政策”等兼顾特长生、特贫地区、特殊对象（如残疾人）等特殊群体的优惠政策。而优惠政策的出现又会造成对少数群体的政策倾斜，关涉大多数群体的利益，其间触及社会公平的平衡点难以把握，值得深入研究。

2. 统一高考和自主招生：多元评价抑或抢夺生源

全国化考试是集中人、财、物、信息、时空最有效的组织形式，自主招生考试则是为优秀人才提供另一种评价渠道。从政策设计意图来看，在全国统一招考之外另开自主招生口子，意在完善多元评价、扩大高校自主办学空间，同时满足社会和家庭的教育选择权力，其本质仍是高考的组织系统。但多元评价、多元录取在操作中被误解为多渠道录取，进而演化为生源争夺，不仅易引发招生秩序混乱，更容易干扰和误导基础教育的办学方向。目前的自主招生政策被质疑具有很强的举办方意图以及随意性，难以达成政策设计初衷，也无法体现高校自身的办学。因此，如何使全国统一招生与大学自主招生真正形成协调互补的政策设计值得仔细研究。

三、历次高考改革目标偏离的原因

由于高考改革本身具有系统性、复杂性且具有历史性，影响高考改革的因素是极为复杂的。高考的内外部因素共同作用，使改革目标产生偏离。

（一）高考改革的复杂性

从高考改革的性质来看，改革本身是一项对利益重新分配调整的活动，涉及不同利益主体的博弈。高考改革相比教育系统中的其他改革活动更具复杂性。一方面，高考改革基于一定的社会背景进行，因而会涉及方方面面的社会因素，这些影响因素错综复杂、共同作用，继而影响高考改革。另一方面，高考改革的主体是人，人的主观能动性及其行为意识会导致原本复杂的高考改革更加复杂，许多改革目标出现异化。因此，改革的难度越大，偏离预期目标的可能性就越大。

（二）高考的非教育性功能强化到了临界点

从职能角度来看，高考具有维护社会公平的一定职能。但回顾1977年以来的高考改革，正在被非教育的社会因素所裹挟，表面看每一次改革都在强化着国家的政治意志，其实是被社会的那根无形之绳拖拽着离国家政治经济发展越来越远。高考改革更多的是被动地回应社会发展需要，未能充分倡导教育理想主动引导社会价值。高考改革过度强调其社会功能，就容易忽视教育规律，其自身的存在意义必然受到质疑。

（三）高考改革的实施异化

首先，改革目标的制定缺少政治视野和系统论方法，目标过高与脱离实际并存，“攻教育一点不及社会其余”等矫枉过正现象随处可见。其次，改革目标未能被高考相关各方充分认识。从我国教育行政的特点来看，目标表述政治化，不易形成上下一致的共识。各项改革举措多是自上而下传达，中途信息疏漏、误读或过度解读不可避免。再次，缺少操作规范。高考改革方案只给出笼统、抽象的改革目标和方向，对于改革的具体目标是什么，改革目标的标准是什么，怎样实现目标，分几步实现，如何判断是否实现了改革目标等问题并没有给出明确说明，这就导致高考改革政策在实施中不可避免的出现偏差。

（四）高考改革的非线性特征影响

高考改革从开始到实施并不是一个线性的过程，高考改革的每个阶段都存在着无数的非线性特征，导致高考改革结果的不确定性。

教育的发展从根本上受制于社会经济制度的发展，高考改革很难单独达成政策设计的意图。且不说高考政策设计不可能撼动社会秩序，就是教育内部系统的秩序都无法由其独立决定。一次高考中间包含着丰富的信息因素：中央政府有社会政治稳定与引领教育发展方向的价值诉求；地方政府有政绩观；家庭有改变身份的焦虑；高校有生源与办学的需求；中学有行政评估和社会声誉的压力；学生有获得优质教育资源的急迫；此外还有社会为迎合上述某些因素而制造的各种不可思议的事端（诸如高考神器、各类补习……）。正是这些影响因素，使高考改革处于一种在稳定与不稳定、平衡与不平衡之间摇摆不定的状态。呈现在我们面前的教育格局，是社会各种因素共同作用到学校系统、各种力量综合博弈的平衡结果。

如果教育外界的可变因素超过了教育政策可控范畴，那么就应当重新思考教育政策的立场。包括高考政策在内的教育政策的制定，在充分尊重教育自身规律的前提下，兼顾社会各方诉求或是明知之举。

综上，高考的基本功能无疑是选拔人才，引导教育价值与教育秩序。然而，高考还有一项潜在功能——促进社会分层。恢复高考以来，改革的重点聚焦在高考的基本功能方面，即如何满足高等院校选拔理想的生源，引导基础教育的办学方向，同时兼顾社会公平。事实上，此处的公平仅仅只是形式公平，即录取程序和考试分数面前的相对公平，并未充分关注获取相同分数背后的条件差异，即同一张卷子、同一个分数，对于一个拥有良好家庭背景和丰富教育资源的城市青年来说，与生长在不健全不正常家庭、教育资源贫乏的一个乡村青年相比，没有任何公平可言。高考改革努力追求的所谓公平，蕴含着完全不同的机会成本，对前者来说升学、进入主流社会的机会和通道更多一些；而后者除了高考别无他途，机会成本巨大。如果我们的社会至今还是一个以计划为特征的封闭的社会，人们只能感叹命运不济；事实却是，今天被市场经济所激发的选择的自由和改变社会身份的愿望强似洪水。当社会流动趋于保守之时，底层民众为了实现改变社会身份的愿望，原意支付各种机会成本。今日，广受关注的学业竞争日益提前、日趋激烈，正是这种社会心理支配的结果。每一次高考改革虽尽力平衡各种基本功能，却无力回应民众的身份焦虑及其教育冲动，难以摆脱各方利益博弈的羁绊与掣肘。

第三节　新高考改革之新

一、新高考改革改什么

（一）政策目标

2014年浙江省和上海市根据《国务院关于深化考试招生制度改革的实施意见》，结合本省市实际，主要针对国务院提出的唯分数论、一考定终身、加分造假、违规招生、城乡和区域入学机会差距大、中小学择校等问题和高考综合改革试点中的要求，制定了选科选考、多次考试、依据高考成绩和高中学业水平考试成绩并参考综合素质测评进行招生的考试录取机制并实施。

（二）新高考“新”在何处

一是拓宽高校入学“门幅”，给高中学生提供更多升学选择通道。高考科目采用“3 + 3”选择方式，即语文、数学、外语3门统考科目，加上3门学生自主选择的选考科目，选考科目不分文理科、增加多种学科组合。

二是完善基础教育的评价系统，促进素质教育发展。高校招录采用“两依据一参考”政策，即依据学生统一高考成绩（语、数、外统考成绩）和高中学业水平考试成绩（3科选考成绩）、参考高中学生综合素质评价信息来录取，提升了高中阶段学业水平和综合素质在招生过程中的权重。

三是改进高校入学选拔方式，注重学生创新素养和发展潜质。通过多次考试择优计分的方式，缓解“一考定终身”的焦虑，更真实地体现学生学业水平。改进综合素质评价方式，不再遵循过往的测量、甄别、遴选逻辑，而更强调对学生各个方面的“观察、记录、分析”，其根本目的是要从中发现并培育学生的良好个性，是对学生未来发展潜能和倾向的深度挖掘、尊重与守护。

（三）浙沪新高考改革的目标检视

对照《国务院关于深化考试招生制度改革的实施意见》等相关政策文本及政策运行现状，检视浙沪新高考改革目标及成效，发现两地新高考改革具有赋权、增能、综合、分化以及等级制考评等五大基本目标。

1. 赋权——增加学生和高校的选择权

本轮高考改革的重要出发点和目标是扩大学生的自主权。如在学生科目选择上，浙江省是“3 + (7选3)”，上海是“3 + (6选3)”，即理论上两地考生各有35种以及20种考试科目选择组合方式，一改以前“3 + 文科综合或者理科综合”2选1模式，鼓励学生按照学科兴趣来选择科目。由学生自主选择考试时间和次数，增加了学生的选择权。

2017年，清华大学、中国人民大学、北京航空航天大学、北京科技大学、北京化工大学等多所高校都推行了大类招生，高校的自主招生权限也进一步扩大。新高考改革浪潮中，选考科目直接与大学专业挂钩，通过“大类招生 + 入校分流”、降低转专业门槛、强化辅修等方式，让学生选择真正感兴趣的专业。通过大类招生，强化通识教育，让学生掌握基本的技能和方法，能适应劳动力市场的需求。新高考改革通过将选择权归还给考生和高校，让考生自主选择心仪的高校；而高校也可以自定标准，扩大招录自主权，从志愿考生中选择适合的考生，让双方的意向对等，体现了教育考试公平。

2. 增能——构建高考新体系，增强教育效能

本轮新高考改革，通过考试形式、考试内容、录取方式、自主招生以及招生名额分配等改革举措，以进一步优化生源供给侧结构、提升教育质量，释放学生发展潜能，增强教育效能。

有助于达成“分类考试、综合评价、多元录取的考试招生模式，健全促进公平、科学选才、监督有力的体制机制，构建衔接沟通各级各类教育、认可多种学习成果的终身学习‘立交桥’”的高考改革总体目标。

3. 综合——取消文理分科，培养学生综合素质

取消文理分科，培养学生综合素质。新高考改革方案打破长期以来的文理分科、“3+1”等招考方案，倒逼普通高中直面课程体系建设，改进教学计划安排，增加学生选课走班空间，加强对学生生涯规划指导等，有助于在高中教育阶段，更好地以学生发展为本、因材施教，进一步增加高中学生课程学业的选择性和差异化，促进学生学术兴趣的培育和发展。

4. 分化——缓解考试压力，破除一考定终身

缓解应试学业负担，破除一考终身制。学完即考、一门一清，确保高中学业课程的完整性和系统性，减轻学生学业负担。“一科两考”是对“一次性”考试的突破，学生选用两次考试中的最优成绩计入高考总分，有利于排除短时期考试中随机、偶然因素的干扰，提高测试学生真实水平的信度效度。

5. 等级计分制考评

实施等级分考评方式。从浙沪出台实施的有关政策文本来看，考生各科成绩按等级赋分，以当次高中学业考试合格成绩为赋分前提，高中学业考试不合格不赋分。以浙江省为例，起点赋分 40 分，满分 100 分，共分 21 个等级，每个等级分差为 3 分。因此，在新高考的成绩中，选考科目会出现卷面分和等级赋分两个分数。卷面分不被直接使用，而是作为等级赋分的依据。以各科“必考题 70 分+加试题 30 分”卷面得分为依据，按最接近的累计比例划定等级。相对于百分位分数等值和标准分数等值，等级赋分是按照考试成绩分布的基本规律来划定等级，公开透

明又便于理解，更容易被大众理解。

（四）专家的几种观点

专家总体上肯定了本次新高考改革的意义和价值。清华大学谢维和指出，新高考改革的基本价值取向是公平公正，但是这一价值诉求与效率的天然冲突在教育领域的表现仍十分突出，而教育作为一个牵一发动全身的社会问题，其成败往往与整个社会发展进程息息相关。

北京师范大学顾明远认为，本次改革高度重视公平问题，符合我国的基本国情，但其对科学选才方面的改革尚不充分。一方面，科学选才易受公平价值诉求的掣肘，如高校自主招生、综合素质评价受到社会诚信度的制约，成本高，改革难度大；另一方面，建立科学的人才选拔标准本身就是一个难点，在理论和实践中都有待深入研究。

中国高等教育学会会长瞿振元指出，我国的高考改革是完善性改革，而非颠覆性改革，高考制度的本体功能是选拔人才。但在我国现实的社会条件下，产生了一系列衍生功能，承载了太多的社会责任。

可见，专家对新高考改革的必要性是持积极态度的，同时对改革的现实阻力和理论推进能力持观望态度。

二、浙沪新高考改革问题审视

本轮新高考改革的亮点是在确保社会公平的前提下，试图为个性化教育留出空间，通过架设更多的高校升学通道，改进相应的评价手段，实现“高校—学生”双向更多的选择，促进高中学校素质教育的全面实施和课程改革的深化。然而就政策系统自身角度考察，仍存在诸多不足：

（一）政府、高校、考试机构权责不明

围绕高考招生改革存在四个主要的利益相关者：政府、高校、考试机构、考生（家长），他们的利益诉求并不一致，很容易在多次博弈中出现个人理性和集体理性相互冲突的“囚徒困境”等情况。各利益相关方并不会简单地按照政策制定者的立场和逻辑去行动，而是遵循自身利益最大化行事。如本轮浙沪新高考的赋分制引发了两地考生中选考物理的人数出现断崖式下降，形成了所谓的“驱赶效应”

和“磁吸效应”，致使学科招生失衡便是典型案例。“高校招生办公室是否可以取消”以及省级考试机构职能扩张的争论也引发舆论关注。按《国家中长期教育改革和发展规划纲要(2010—2020年)》精神，省级教育考试机构的职能应当是逐步弱化的，但在新高考的制度设计下，反而有进一步强化的趋势。因此，在高考制度的顶层设计上需要创新治理路径，变以政府为单一主体的自上而下的政策路径选择为以政府、高校、考试机构以及第三方教育智库等社会组织共同参与的多主体治理格局。

(二) 系统性、整体性的政策改革保障不够

课程师资难以支撑考试改革科目选择及组合、英语一年两考额外增加了考试政策改革的运行成本，增加了学生的外语学习负担，带来了考试政策运行的低效，等级赋分制等方式造成学生趋易避难等问题。解决这些问题均需要配套的人事政策、经费政策等相关保障性政策资源的供给。

(三) 等级分数制考评技术不成熟

如前所述，在等级赋分制影响下，“驱赶效应”和“磁吸效应”是考生在面对科目选择时，出于信息不对称和搭便车行为所做出的一种权宜之策的利己安排。“驱赶”与“磁吸”效应从长远来讲不仅不利于自身的发展，而且对国家的人才选拔与培养质量也极为有害，会导致考试政策执行中各方博弈与机会主义思潮的涌动，造成政策执行的异化。为此本轮新高考改革尚需进一步研判分析考试测评环节，提高考评的科学性。在教学实践中切实改变以考试评价学生的“唯分数论”，这才是教育改革亟待解决的问题。

(四) 复杂系统的应对思路及其设计不充分

高考改革的复杂性远超过医疗改革和福利制度改革，原因在于其他诸项改革或牵涉到当事者个人利益或是一次性利益，唯高考改革既是当事者群体的现实利益，又是他们的长远甚至终身利益。其中学生一方既是个人的眼前利益又是家庭甚至是家族几代人的利益；高等院校有创“双一流”的冲动；高中学校有办学声誉的追求；地方政府有政绩的需要……这一背景下的任何一种高考制度一旦付诸实施，必定引来系统内诸多力量的博弈和干扰。目前的政策设计，未见对这种博弈和干扰做出了充分回应。

“选科选考”举措的出台是为了解决选择权的问题，但这一政策的出台也引发

了功利性选择和师资不足的问题。如若实行选科选考，上海高考6选3有20种组合可供选择，浙江高考7选3有35种组合可供选择，但调研显示，大多数学校能够提供7到8种组合给学生选择已经非常不错了。来自上海浦东新区的研究显示，要落实新高考改革方案，教师要增加30%，使师生比达到1∶8左右。综合各种情况，有的学校就采取"套餐制"，结合学校师资情况，给学生设置几个科目组合套餐，供学生选择。不可否认，套餐制相对于以前也有进步，但距离实现学生充分的科目选择，还有很大的距离。

"一考"变"多考"，应对"一考定终身"。浙江省有4门科目考生可以考两次，高二就有两次选考机会，结果导致有部分高中在高一时，同时进行8门选考科目的学习，学校为了抢赶教学进度，增加课时，占用学生晚间和节假日时间组织复习，诱导或要求学生参加社会培训机构各类迎考学习，严重加大学生课业负担。上海比浙江的情况好一点，因为上海每门选考科目只有一次考试机会，且高二只安排了生物和地理两门科目的选考，其他科目的选考则安排在高三下学期。外语科目有两次考试，按理学生可以自由选择参加其中一次。但从实践情况看，上海参加秋季高考的学生，至少95%以上两次考试都参加，第一次100%都参加，第二次，只有极个别没有参加（有一所高中，高三毕业生400名，只有4人没参加，而且这4人准备出国留学，要学习德语）。一方面是学生觉得多考一次，说不定可以考出更高的分数，另一方面则是学校要求学生，第二次除非特殊原因，必须参加。褚宏启认为，考试密度大、次数多，学生考试压力大增，可能增加了学生的考试负担与课业负担。

"实施综合素质评价"是高考改革的关键点和难点，也是应对应试教育和唯分数论的最好抓手。从目前的评价内容看，上海和浙江的综合素质评价没有很好地兼顾引导学生全面发展、基础教育发展和为高校选拔人才的诉求。综合素质评价作为"两依据，一参考"政策的重要组成部分，其未必能实质性促进学生的全面发展。原因在于诚信体系的不完善，通过综合素质考评而进行的"一参考"很难有效落实；"两依据"依据的是文化课分数，选考的三科有向纯粹的选拔考试分化的可能，学生偏科似乎不可避免。高中学校是常态化实施学生综合素质评价的主阵地。从实施现状来看，部分高中学校存有走过场、"打太极"、消极应付的不良现象，重要的原因是：综合素质评价在高等院校招生时没有发挥相应的作用。作为新高考改革的难点和关键点，综合素质评价的实施程度和速度，事关整个新高考改革的进度，须对其实施的条件和困境进一步研究和改进。

无论是浙江35种选考科目组合，还是上海20种选考科目组合，无非是增加了升学通道，但并未改变高等院校办学的利益机制，因此也不可能改变高校通过自主招生等形式争夺生源的内在冲动，如果说这种改革可以引导高中学校的教育改革，那也只是从简单应试转为复杂应试；“走班制”给高中学生增加了选择性学习的机会，但未见得比“家教”过程中的应试成效更加突出；等级计分、学一门考一门等也改变不了为应试而学习的格局，高中学校并未获得改变“以不变(应试)应万变(招生)”的内在动力和外在压力；在这一过程中，完中和普通高中的学生并未获得更多机会，因为“以分数论英雄”的格局并未被颠覆，也就很难引导家长放弃“名小学—民办初中—实验性示范性高中”一路竞争的模式。无怪乎本次新高考结束至今，社会舆论出奇的平静，或是因为各方都把它看作是一种新的游戏规则，如若这种社会心理是真实的，新高考的前景则令人堪忧。

第四节　韩国与美国的经验与启示

韩国作为和中国同属儒家文化圈的“高考压力大国”，其大学入学考试制度与中国有诸多共通之处。美国作为拥有目前世界公认的最先进最完备的大学入学制度之一，其制度的正义前提、公平诉求、效率内驱及合理性的价值追求值得其他国家研究学习。本部分从横向和纵向两个维度分别梳理两个国家大学入学制度的演变逻辑，以期从中获取审视中国高考改革的一种新视野。

一、韩国与美国大学入学制度的演进逻辑

韩国大学入学制度的变化主要围绕出题者是国家还是大学进行，大学自行出题会出现人才过剩和质量低下，国家主导又会产生对大学控制过多的问题。但遴选资料始终包括各大学考试、国家考试及高中在校成绩(综合表现)三个方面，且在演变中逐渐加大高校招生自主权及多元评价，并开发特殊途径选拔有特长或弱势群体学生。但目前韩国大学招生只分人文、科学两大类，不同类型高校选拔学

生的方式相同，未形成大学特色化招生且没有措施有效解决学业不匹配现象，加之韩国社会“应试”氛围浓厚，入学公平和招生效率都有待加强。

美国大学入学制度的演变与其社会政治背景、民主化进程和高等学校系统自身以及内部不同类别、层次学校的发展有着千丝万缕的联系。在其历史变迁中，较好地适应了美国社会多元的种族、民族、文化特征，回应了各民族、各阶层的期盼。但其植根于美国社会本身的严重贫富不均、“政治正确”的民主压力使其在发展演变中存在着不可避免和不易改变的局限性。

表8 韩国大学入学制度演进逻辑

时间	1945—1969年	1969—1980年	1981—1993年	1994—2002年	2002—至今
方法	各大学单独招生考试	入学预备考试制和大学单独考试并行	入学学力考试与高中在校成绩呈报并行	“入学学力考试”改名为“修学能力考试”；高中在校成绩、大学修学能力考试和各大学考查成绩三方面考查	前一阶段基础上改总分排队为等级排队；改高中成绩为高中综合表现；增加“特殊录取”、“查定官制”等多录取途径
理念	“学力思潮”下的“上大学热”	国家加强控制管理；全国统一	开始重视与高中的联系	扩大高校的招生自主权，增加学生选择大学的机会	改善大学门难进的现状；关注特殊群体
技术	效仿美国，各大学单独考试招生	先参加全国统一的预考，取得合法资格后再参加各大学的单独考试	根据入学学力考试成绩，结合高中在校成绩，部分高校还有入学加试	高中在校成绩为必查，其他两种各大学可自由选一选二或都不选。	“计分制”改为“等级制”； 高中成绩改为高中综合表现
评价	考生数增多执行难；部分大学以赢利为目的超招学生；经济萧条就业难，人才“过剩”。	自由放任的招生成为历史；“资格考试”和“入学考试”两道关口成为沉重课业负担和巨大升学压力的开始。	考试科目多，初习风气普遍，学生负担重；题目多为记忆型，不利于学生长远发展	学生负担依然较重，一些高中在校成绩呈报管理不严，招生流程过于复杂	通过初选的可能性增大； 可同等级人数过多有时使高校增加面试来筛选

表 9 美国大学入学制度演进逻辑

时间	个校筛选制 1636—1861 年	证书入学制 1861—1898 年	综合选拔制 1899—1943 年	开放招生与选择招生制并存 1944—1993 年	多元化的招生制度 1994 年至今
时代特征	殖民地时期到南北战争之前;殖民主义	南北战争后;精英主义	二战 出现民主化压力	二战后 民主化持续增强	经济低迷;贫富差距大 “政治正确”的民主压力巨大
背景	殖民地初期美国仍未形成独立的教育体系,移植或仿照英国模式,主要为有产阶级子弟服务	废除奴隶制并完成从农业国向工业国的转变;资本主义经济快速发展;第二次科技革命使对劳动者知识能力要求提高;高校数量质量迅速扩大	中等教育大众化和不同类型高等教育快速发展;反对中等教育仅为升学做准备;开始关注不同学生需求;高校开始关注生源质量	进入高等教育大众化阶段;高等教育成为提升社会经济地位和争取民主权利的有效途径;分类型、多层次高等教育系统初建模型	国家经济状况出现危机,贫富差距不断增大;高等教育私营化、公司化、网络化发展趋势;辍学现象增多
方法	一般情况下,白人男子只要通过拉丁文和希腊语的口试就可以进入高校学习	起初各大学入学要求不同,密歇根大学首创每年考察中学教师水平课程教学等,颁发“认可证书”,被认可学校学生免试进入该大学	一些州或院校开始设立统一或单独考试;SAT 出现并逐渐被全国认可;统一考试为主,其他因素为辅	不同类型、层次大学根据自身水平设立明显差异性录取标准;参考指标包括 SAT 及其他非考试评价	精英大学招生竞赛错综复杂;州立大学滚动招生;社区大学开放录取;虚拟大学网络注册
评价	规模小且宗教色彩强,主要服务清教徒和白人富家子弟;后期服务对象有所扩大,贵族特征减弱,实际和实用倾向增加	扩大了生源,加强了中学与大学的联系,中等教育开始思考如何更好地服务高等教育,大学也开始理解中等教育面临的问题,学生可将更多的时间用于高中课程的学习,而不用忙于应付各类大学入学考试	突破地域限制实现了全国范围选拔生源的目标;提高了不同层次高校选拔人才的需要	充分体现了高校自主招生与申请者双向选择;分别满足不同层次、类型大学和中等教育的选拔和发展需要以及申请者根据自身情况选择适合自己的大学就读	不同类别、层次的申请者自行选择适合的方式;分类型、多层次的高等教育系统得以形成

二、不同群体间的博弈

(一) 大学招生自主性

在我国，高考制度更多强调的是以政府为主体，政府与大学之间呈线性管理，政府不仅是高校的主要投资者，也是事实上的办学和直接管理者。反观韩美，政府将招生权力更多甚至全部下放给高校，自身只承担宏观监控和适当调节的功能，让各高校根据社会政治、经济、文化、教育等发展要求，结合自身特色，独立探索选拔模式，多元录取。

(二) 高校、政府、社会(市场)间的协作

社会(市场)一直对人才选拔和培养有间接影响和调控作用。社会(市场)作为政府与大学间的“第三方”，一方面为大学代言，帮助大学对政府提出要求；另一方面，又帮助政府将适当的责任施加给大学。美国各类型、多层次的高等教育体系及选拔制度，使各类型、各层次高校和各类别、各层次申请者根据自身情况、特色双向选择。反观中韩两国，都未形成分类考试、特色大学招生且学校内部学业不匹配、毕业后就业专业不对口现象较为严重和普遍。中国的高考制度中，中等学校和高等学校联系不多，未形成学生输送和接收的统一目标，除自主招生途径外，高校对学生在高中时期的综合表现关注不多甚至完全不了解。

(三) 特定群体的关注

除服务于普遍性的大众教育，高考这把尺子还要能甄别出具有特殊才能的学生和防止弱势群体由于自身社会经济条件弱而失去接受高等教育的机会。纵观各国的大学入学发展历程，都在关注这些群体并制定相应政策进行筛选和扶持。如量化、质性评价相结合，智力、非智力因素并重，考虑入学者背景，采用“能力入学”的方式等。但值得额外注意的是，在我国社会信用体系还未完全建立的情况下，关注特定群体的同时，坚守公平是符合大众心理的社会价值认知。

第五节　高考改革新思考

为了更有效、更公平地选拔人才，需要不断对我国高考制度进行改革、创新和完善。

一、正确处理高考的基本功能和衍生功能

选拔人才是我国高考制度的基本功能，但在既定的社会条件下，高考产生了一系列衍生功能。应正确处理高考科学选才的基本功能与促进公平、引导基础教育等衍生的功能定位，提升二者的有机统一性，逐步分离高考所承载的衍生功能，树立个性化人才选拔观。在此基础上，兼顾社会功能，促进人才选拔的公平性、高效水平，并发挥人才选拔对基础教育的导向作用。

二、深化招考分离改革，形成分类考试、综合评价、多元录取的考试招生制度

理想的考试招生制度，应当使所有的高校挑选最合适的生源，使所有的学生选择最合适的高校，坚持考生与高校的双向选择原则。但此次新高考改革，仍以科目改革为主，并未推进招考分离，因此需要从录取制度着手深入推进改革，探索灵活多样的录取方式。

将统考与招生测试相分离，把检验高中学习成果和高校招生录取的功能相分离。高校招生入学测试应主要由高校来操作，给高校自主招生留下空间。在浙江和上海的高考改革中，上海的春季高考是真正具有招考分离意义的改革。为增强学生和高校的选择权，应允许学生多次选择、被多所高校录取，可探索申请入学、考试入学、推荐入学等多种录取方式。

三、厘清政府、高校、考试机构的权责关系，落实高校招生自主权

目前我国仍实行由教育行政部门主导的高校招生录取制度，政府具有绝对的领导权和决策权，导致高校招生录取改革屡屡受挫。招生考试制度的改革需要建立与之相适应的管理体制，关键是明晰政府、高校、考试机构等主体的权责关系。政府主要负责制定宏观的招生政策、完善监督机制、营造公平竞争的考试和招生环境；高校应成为自主招生的真正主体，自主确定适合本校发展的录取标准，切实行使高校招生自主权；考试机构应转变职能，逐步向专门的服务性机构转型，成为服务考生和社会的专业机构。

落实高校招生自主权的关键环节在于提高高校的招生能力。对此，高校需首先提高综合办学能力，提高立体传播能力，明确和宣传学校的办学理念、办学实力、办学水平和办学资源；其次，高校需提高对学生的鉴别和选拔能力，招生能力的核心是鉴别生源、选拔生源，需深入研究对考生综合素质的鉴别和选拔；最后，高校应提高招生管理能力，专门研究学校的招生制度、机制和技术，通过制度创新、管理改进和文化建设的相互推进来不断提高高校在招生中的责任意识。

四、研判考试测评环节，提高考评的科学性

一是调整选考制度，高校应科学设定选考要求，发挥一流大学、一流学科的引领作用，对于具有单一科目属性的专业，设置一门选考科目，对于具有交叉性、复合型科目属性的专业，设置2—3门选考科目，视情况提出同等条件下优先考虑的其他相关科目。二是完善计分方式，由于等级分仍存在风险，需重构分数体系，如通过测验等值技术实现不同次考试间原始分等值、建立量表分数等方式，提高分数计算的科学性。三是高考成绩可考虑由相加式改为并列式，可实现“分类考试”的目标，符合考试招生制度改革的总体思路。四是暂缓实施“一科两考”，先集中精力将“选考”这一项政策做好，为推动多次考试的实现，应首先做好条件保障，如推动面向高中学业水平考试的国家标准化题库建设，改学业水平的常模参照计分方式为标准参照计分模式，统筹协调合格性考试和等级性考试的考试时间与次数

等。五是提高考试机构、命题人员的命题能力。六是高校应建立专业化的招生机构，建设招生的综合评价系统，包含全面指标体系，确保公正的监管体系，考虑区域和家庭背景导致的差异和不公平。

五、深化学校教育教学改革，推动特色办学

高中教育方面，应改变学校办学理念，以特色课程建设推动特色办学，促进学生全面而有个性地发展。强化生涯教育的整体规划，为学生提供丰富的课程、多元的课外活动、多样的社会体验和职业认知，提高学生的自主选择能力。高校方面，需更加注重特色发展，提高差异化竞争实力，将招生与培养、管理工作高度联动，以大类培养维系大类招生。

六、提高改革的系统性和整体性，做好改革的基本保障

一是转变应试教育观念，转变家长、学校、社会对成功和成才观念的认识。二是强化多部门协作和顶层设计，打破部门壁垒，改革劳动人事制度，由地方深化改革领导小组对改革所涉及的人力、物力和经费进行核定和配置，统筹协调区域师资力量，促进行政区域内师资的动态配置。三是引导、完善劳动力市场用人制度，以引导职教和普教的区隔和分裂，打通各级各类人才成长的立交桥。四是提高高中学校管理人员和教师的能力，推动学校与家庭联动培养学生的健全人格。

第五章

另一种类型的教育：职业教育如何发展

第一节　职业教育的功能

职业教育功能是指职业教育系统内部各要素之间以及职业教育系统与社会之间以一定的方式相互作用时表现出来的内在客观能力和产生的效果。职业教育体系是教育体系的重要组成部分，因此，职业教育不仅具有教育的一般功能，如培养人才、文化传递、政治、经济等功能，也有其自身特有的功能。在职业教育的所有功能中，人才培养功能是文化传递、政治、经济、发展科学技术功能等功能的基础。

一、教育的一般功能

（一）育人的功能

从本质上来说，教育是一种培养人的社会活动。《礼记・学记》云："玉不琢，不成器；人不学，不知道。是故，建国君民，教学为先。"康德说："人只有靠教育才能成人。"赫钦斯认为："教育的目的是改善人"，"所谓改善人，意味着他们理性、道德和精神诸力量的最充分的发展。一切人都有这些力量，一切人都应最充分地发展这些力量"。雅斯贝尔斯认为，"教育是人的灵魂的教育、做人的教育，而非仅仅是知识的堆积和技能的提高。"赫尔巴特指出："教育的唯一工作和全部工作可以总结在这一概念之中——道德。道德普遍地被认为是人类的最高目的，因此也是教育的最高目的。”“教学如果没有进行道德教育，只是一种没有目的的手段”。《教育——财富蕴藏其中》一书中提出：“教育不仅仅是为了给经济界提供人才：它不是把人作为经济工具而是作为发展的目的加以对待的”。教育的“四大支柱”是：学会认知、学会做事、学会共同生活和学会生存，学会生存是前三种学习结果的表现形式。

在工业化进程中，科学技术教育占上风，对机械、工程等科学教育的推崇达到顶峰，随之而来的就是人文意识的觉醒，对社会、人文教育的关注。因此，许多教育家提出要重视人文教育，实现人文教育与技术教育的和谐发展，其本质就是要职业教育回归教育的人本属性，改变工业革命以来过分专业化的“制器”教育的偏狭，培养全面发展的人。黄炎培明确提出：“职业教育，将使受教育者各得一技之长，以从事于社会生产事业，藉获适当之生活；同时更注意于共同之大目标，即养成青年自求知识之能力、巩固之意志、优美之感情，不惟以之应用于职业，且能进而协助社会、国家，为其健全优良之分子也”。爱因斯坦曾指出，“学校的目的始终应该是：青年人在离开学校时，是作为一个和谐的人，而不是作为一个专家”，仅仅“用专业知识育人是不够的。通过专业教育，他可以成为一种有用的机器，但不能成为一个和谐发展的人。要使学生对价值有所理解并产生热诚的感情，那是最根本的。它必须获得对美和道德的鲜明的判断力。否则的话，他——连同他的专业知识——就更像一只受过很好训练的狗。而不像一个和谐发展的人”。职业教育要在当今社会发展中不断调整完善其结构，结构调整宗旨在于使职业教育成为“育人”和“育才”的有机结合的教育。

（二）文化传递功能

职业教育文化传递功能主要通过选择、传播、创新、再传递的不断循环的过程来实现。教育的文化传递是将前人所积累的生产生活经验、道德观念和行为规范、科学技术和人文知识等，有计划地传递给下一代。文化有物质、精神、制度等多种多样的载体，只有这些文化被人类接受，才能形成有活力的文化。职业教育就是要把已有的物质、精神、制度等方面的文化通过相应的手段不断转化为学习者的知识、能力、行为方式、思想观念，使文化得以传递、传播，使学习者成为文化的承载者和传播者。职业教育主要通过校园文化建设和管理来实现对职业院校的制度文化、精神文化和物质文化等的传承。学生在学校的制度文化中获得熏陶，在精神文化和物质文化中形成良好的文化修养和精神风貌。职业教育对文化选择的功能主要体现在职业教育机构只选择那些被认为是优秀的、精粹的文化进入职业教育领域进行传播。职业学校所选择的文化具有一定的导向作用，传播的面会更广，影响力会更大，因此，所选择的文化就有时代性、先进性和实用性。职业教育在选择文化的同时，也是一个对文化进行系统化、条理化的过程，并使文化更具有规范性。职业教育对文化创新的功能主要通过职业学校的科研成果、教育实践来实现。

（三）政治功能

作为教育的一种类型的职业教育与政治之间的关系是：政治决定职业教育，职业教育反作用于政治。职业教育的政治功能指职业教育作用于政治，其作用形式有以下几种。

一是，巩固和发展社会政治关系。社会政治关系主要是社会各阶层之间的关系。职业教育由于在政治上的方向性、教育上的有效性，使未来社会成员认同、服从并适应社会的政治关系格局，使社会政治关系在受教育者头脑中成为当然之物。

二是，影响社会政治生活质量。社会政治生活质量的高低主要体现在国民参政议政的积极性和程度，其重要途径是提高国民政治素质。在职业教育过程中，教育者可以自觉地、有意识地培养受教育者参政议政的意识，增强他们的民主观念和法制观念，提高他们的政治素养和政治参与能力。

三是，实现政治目标。任何政府和政党的政治目标都是通过社会成员来实现的，要使社会成员认同社会政治目标并参与实践，必须为他们提供了解和认识政治的途径。政府和政党可以通过职业教育机构来宣传政治目标、传播政治思想、制造政治舆论、培养政治骨干，让学员来实现其所属政府和政党的“政治目标”。

四是，稳定社会。通过职业教育可以把一些社会闲散和失业人员聚集到一起，并对这些人员进行教育和管理，让他们参与到有组织的教育活动，有利于社会的稳定。

（四）经济功能

职业教育的经济功能主要表现在两个方面：职业教育自身的经济功能和通过培养劳动力提高劳动生产率。

职业教育是服务行业的一种活动，主要是传授科学文化知识、训练技术应用能力、培养良好的职业道德和劳动态度。服务行业作为第三产业行业之一，成为社会经济增长的一极。职业教育是服务行业的一部分，职业教育承担机构付出的劳动会要取得相应的经济回报，也为国民生产总值添砖加瓦。

职业教育培养劳动力提高劳动生产率。马克思说过："为改变一般人的本性，使他获得一定劳动部门的技能和技巧，成为发达的和专门的劳动力，就要有一定的教育和训练，而这又得花费或多或少的商品等价物。劳动力的教育费用随着劳动力性质的复杂程度而不同"。职业教育"通过培养劳动力的专业素质，发展劳动力的智能，塑造其思想品德、人格，传授生产技术来提高劳动者的劳动生产率"。职业教育依据人的身心发展规律，传授技术知识，训练生产技能，开发个体职业潜力，使个体获得职业所需的知识、技能和学习能力。通过职业教育提高劳动者的技术水平、智能水平、安全意识，端正劳动态度，提高劳动生产率。

二、职业教育的特有功能

(一) 人力资源开发

人力资源指人口在经济上可供利用的最高人口数量或指具有劳动能力的人口。人力资本指凝聚在劳动者身上的知识、技能及其所表现出来的能力。一个社会的人才结构由社会生产力水平和经济结构决定，主要体现在技术水平和产业结构上。不同的技术结构和产业结构需要不同专业和水平的劳动者。任何一个社会和行业的人才都由不同等级水平的人构成，并且从低到高不断递减，因此职业教育对人力资本开发的贡献主要是培养各类各层次的应用性和技术型人才。通过各级各类职业教育的发展规划，可以使一个国家的技术创新人才、技术型人才、技术技能人才和技能人才形成一个比较合理的比例。社会职业十分庞杂，不可能也不需要一一对应进行培养，但可以依据职业群、行业群和产业群进行职业教育的专业设置、课程开发，形成合理的技术技能人才培养体系，培养一个合理的人才结构适应千差万别的职业。

(二) 个性发展

个性发展是人类个体出生后直到青少年时期个性(即人格)的形成和发展过

程。青年初期是个性发展达到成熟的阶段，在这个阶段个体将会初步形成自己的世界观，能够认识自己的主观世界；能够根据社会要求去锻炼自己，并能按照一定的目标和准则评价自己的品质和能力；能从一定的道德观念和道德原则出发解决各种问题。中等职业教育或高等职业教育阶段正好处于学生个性发展期，对学生的世界观、道德观和自身发展方向的形成具有决定性影响。在这阶段职业教育要关注学生的兴趣和个性差异，培养学生的职业观，形成与以后所从事职业相应的职业文化和职业认同，从事与自身个性相符合的职业。职业的差异和人的个性差异导致不同人要选择不同的职业。职业教育非基础教育，是一种定向教育，具有培养个人与职业相匹配的义务。职业是客观存在的，而个性是主观的。我们可以通过主观的能动性去适应客观性。由于人的兴趣、能力、性格是可以养成的，职业教育可以根据学生的性格和兴趣开设专业和课程，满足学生个性的发展；可以通过定向教育与培训，开发个人潜能，发展学生的特殊兴趣与才能，促进和发展学生与所选专业（职业）有关的才能，充分发挥人的个性特长，使之顺势成才。

（三）调节劳动力市场

"职业教育也是社会劳动力的蓄水池"，这句话体现了职业教育对劳动力市场的调节作用。当劳动力总体上供大于求时，职业学校可以通过扩大招生，提高层次、以推迟新增劳动力和求职者的就业时间，减轻就业压力，蓄积人才；当某方面人才缺乏时，职业学校也能够开设短线专业，提供急需培训，迅速补充所需人才。职业教育主要通过职业指导和升学教育来调节劳动力资源的配置和投放。通过职业指导，能将不同能力倾向、兴趣、爱好的人导向与之相匹配的职业岗位，使个性特征与职业岗位相结合，充分发挥人的潜能，人尽其才，从而提高劳动力的配置效益，促进经济的发展；职业教育的升学功能可以调节职业教育毕业生进入劳动力市场的当前投放量，让有意向继续深造的学生提高职业竞争能力，延缓其参与就业的时间。

职业教育通过选拔和分配人才，将不同层次和专业的劳动力配置到需要的地方。职业教育"还可以通过专业结构、程度结构的调整以及继续职业技术教育，促进劳动力的合理流动"，从而有助于社会经济的发展。

（四）推广和应用技术，促进产业升级

技术泛指根据自然科学原理生产实践经验，为某一实际目的而协同组成的各

种工具、设备、技术和工艺体系，也包括与社会科学相应的技术内容。技术推广是指职业教育通过传授技艺知识和应用技术知识，培养技术技能人才，通过传递和积累科学技术从而发挥再生产科学技术的功能，通过传授使原来由少数人所掌握的科学技术变为更多人所掌握。应用技术是指通过人才培养，职业教育把潜在的技术转化为现实的生产技术，把大量的新技术、新工艺和新设备转化为现实的生产力。

产业升级是指产业结构的优化和产业效率的提高。产业结构优化的一个显著特征是各产业中产品的知识含量与技术含量的不断提高，产业间呈现出由劳动密集型向知识、技术密集型的转移，因此，要促进产业结构的优化，拥有高素质的技术技能人才是基础和前提。只有高素质的技术技能人才，才能提高技术和管理水平。技术水平和管理水平的提高又离不开职业教育的支持。职业教育层次结构的调整符合产业结构的高级化，才能使人们获得相应的技术理念、技术知识、创新能力等，具备所要从事技术工作所必备的条件，促进产业发展。

第二节　我国职业教育层次结构演变的经验与启示

综观我国职业教育层次级数和各层次规模演变的历程，可以看到，职业教育层次级数和规模的变化不是空穴来风，也不单纯是某个人或少数几个人主观愿望的产物，致因是多方面的、复杂的。职业教育层次结构的变化是经济转型和社会转型的结果，各层次规模专业结构是产业结构优化的结果。

一、经济、政治等因素对不同历史阶段职业教育层次的影响程度

(一) 1949—1976 年：政治主导

新中国成立后，教育发展采取国家计划模式，由政府主导。在此模式之中，教育规模变化受到政治因素的强大影响，教育规模的确定往往是一种国家主义指导下的政府行为。中国人民政治协商会议达成的《共同纲领》关于发展各级各类教育的规定中提出“注重技术教育”，旧的职业教育称谓被取消。1949 年 12 月举行

的第一次全国教育工作会议确定“中华人民共和国的教育是新民主主义的教育”，主要任务是“提高人民文化水平，培养国家建设人才，肃清封建的、买办的、法西斯主义的思想，发展为人民服务的思想”。基本方针是“以原有的老解放区教育的良好经验为基础，吸收旧教育某些有用的经验，特别要借助苏联教育建设的先进经验”。1951 年 10 月，政务院颁布的《关于学制改革的决定》的基本方针是“教育为国家建设服务，学校向工农开门”，学制中规定“技术学校招收初中毕业生或同等学力者，初级技术学校招收小学毕业生或同等学力者”。

《中共中央国务院关于教育工作的指示》，明确提出“党的教育工作方针，是教育为无产阶级的政治服务，教育与生产劳动结合；为了实现这个方针，教育工作必须由党来领导”。刘少奇提出了“两种劳动制度和两种教育制度”的设想，开始大量发展业余的文化技术学校和半工半读学校及农村职业中学，中等职业教育得到迅猛发展。党的八届九中全会提出了“调整、巩固、充实、提高”的八字方针，对中等专业学校和半工半读农业中学进行了大规模调整，工矿企业的技工学校大部分停办。从上述政治需要对我国职业教育发展的影响说明在新生政权诞生之时，一切都以稳固政权为先，一切为政权服务。但当政治运动不符合经济和教育发展规律时，就会破坏经济和教育的发展。

（二）1978—1999 年：经济主导

改革开放后，党和政府把工作重心转移到了经济建设，经济建设发展需要职业教育为其提供人才，职业教育成为人们满足教育需求和参与经济建设的重要途径和手段。1978 年后党和政府出台的关于职业教育政策都与经济发展有关。1978 年 4 月 22 日，邓小平在全国教育工作会议上强调“整个教育事业必须和国民经济发展的要求相适应”，“应该考虑各级各类学校发展的比例，特别是扩大农业中学、各种中等专业学校、技工学校的比例。”1982 年，第五届全国人民代表大会五次会议提出：“要试办一批花钱少、见效快，可收学费，学生尽可能走读，毕业生择优录用的专科学校和短期职业大学”。短期职业大学就是为了补充地方经济发展需要的人才，尤其是应用型人才而产生的。正是由于职业大学的出现，才导致高等职业教育的推出。1985 年《中共中央关于教育体制改革的决定》明确提出“积极发展高等职业技术院校”，成为我国发展高等职业教育的重要里程碑。在 1994 年全国教育工作会议上李岚清副总理提出：“发展高等职业学校，主要走现有职业大学、成人高校和部分高等专科学校调整专业方向及培养目标，改建、合并和联合办学的路子”。

1995年10月，原国家教委颁布的《关于推动职业大学改革与建设的意见》指出：“职业大学是我国高等教育的一种办学形式，是高等职业教育的重要组成部分”。1999年1月，国务院转发《面向21世纪教育振兴行动计划》指出：“积极发展高等教育，是提高国民科技文化素质，推迟就业以及发展国民经济的迫切要求”。“高等职业教育必须面向地区经济建设和社会发展，培养生产、服务、管理第一线需要的实用人才，真正办出特色”。上述政策的出台促进了职业教育规模（在校生规模）与经济规模（GDP）的协同发展，1978—1999年，中国GDP与中等职业教育规模之间的相关系数为0.93，与高职专科教育规模之间的相关系数为0.88，GDP与职业教育规模之间高度相关，变化方向高度趋同。

（三）进入21世纪后：经济和人的发展为主导

我国进入21世纪以来，随着新型工业化的发展，产业结构从劳动密集型、资金密集型迅速向技术密集型转化，许多原有产业和新产业的技术含量不断增加，产生了大量应用高新技术或具有复合性特征的新职业岗位，扩大了对受过高等教育，掌握系统的理论知识，具有创新精神、设计能力和组织能力，并能进行独立操作的高级技术型人才的需求。高职专科已经不能完全满足我国经济发展的需求，高级技术型人才的匮乏已成为制约我国经济发展的瓶颈。

随着我国居民物质生活条件的不断提高，人们开始注重精神生活的充实，期望实现高层次、高品质的精神追求，关注个人潜能的充分发展，人们对职业教育的需要不再是以谋生为目的，而是逐步开始关注自我实现。我国步入构建可持续发展与和谐社会阶段以来，“以人为本”、“协调发展”与“可持续发展”成为我国重要的发展战略手段，职业教育也成为达成目标的重要手段之一。2002年印发的《国务院关于大力推进职业教育改革与发展的决定》提出：“推进职业教育的改革与发展是实施科教兴国战略、促进经济和社会可持续发展、提高国际竞争力的重要途径，是调整经济结构、提高劳动者素质、加快人力资源开发的必然要求，是拓宽就业渠道、促进劳动就业和再就业的重要举措”。2005年印发的《国务院关于大力发展职业教育的决定》明确提出：“大力发展职业教育，加快人力资源开发，是落实科教兴国战略和人才强国战略、推进我国走新型工业化道路、解决‘三农’问题、促进就业再就业的重大举措;是全面提高国民素质,把我国巨大人口压力转化为人力资源优势,提升我国综合国力,构建和谐社会的重要途径;是贯彻党的教育方针,遵循教育规律,实现教育事业全面协调可持续发展的必然要求。”2007 年 3 月温总理在两会的工作报告中指出:“要把发展职业教育放在更加突出的位置,使教育真正成为面向全社会的教育。”“到 2020 年,形成适应发展方式转变和经济结构调整要求、体现终身教育理念、中等和高等职业教育协调发展的现代职业教育体系,满足人民群众接受职业教育的需求,满足经济社会对高素质劳动者和技能型人才的需要。”“按照有利于科学选拔人才、促进学生健康发展、维护社会公平的原则,探索招生与考试相对分离的办法,政府宏观管理,专业机构组织实施,学校依法自主招生,学生多次选择,逐步形成分类考试、综合评价、多元录取的考试招生制度。”“逐步实施高等学校分类入学考试。”《现代职业教育体系建设规划(2012—2020)》提出:“在高等职业院校和企业合作开展高等学历教育和高等继续教育,培养发展型、复合型和创新型的高级技术技能人才,包括专科层次、本科层次和研究生层次职业教育,在职教育体系中发挥引领作用。研究生层次职业教育纳入到专业硕士、专业博士的统一培养体系中”。从上述会议和文件精神可以看出,我国对职业教育重要性的认识有所提升,不再是低层职业的培训,其功能逐步得到拓展,层次逐步提升,在发展方式上开始遵循职业教育规律,在目标上不仅追求整体教育结构与经济发展的和谐,更追求满足人发展的需要。

可见,职业教育层次结构受社会政治制度、经济水平、人发展的需求等多种因素的影响,其中经济发展水平和各级技术人才需求结构模式是最基本的因素。职业教育层次结构的合理调整,应该以经济发展的需求为基本依据。

二、政策是调控职业教育层次与规模的直接手段

职业教育政策是依据政治和经济对职业教育层次与规模的需要而制定的,是为政治与经济服务的,通过职业教育政策的实施改变职业教育层次与规模。我国职业教育由国家调控,政策对职业教育层次与规模变化的影响更为直接,有时还带有强制性。1982 年国务院在《关于第六个五年计划的报告》中提出:“要试办一批花钱省、见效快、可收学费、学生尽可能走读、毕业生择优录用的专科学校和职

业大学。”这是新中国成立以来第一次以国家政策形式规定举办高等职业教育，使职业教育在真正意义上上升到专科教育层次。1991 年国务院学位委员会的 9 次会议正式提出《关于设置和试办工商管理硕士学位的几点意见》，工商管理硕士学位成为第一个经国家主管部门正式批准设立的专业学位，具有职业教育属性的教育类型上升到研究生层次。1999 年 1 月，教育部、原国家计委印发《试行按新的管理模式和运行机制举办高等职业技术教育的实施意见》提出："在普通高等教育招生计划中，安排 10 万人专门用于发展高等职业教育"，由此拉开"扩招"的序幕，我国高等职业教育规模开始急剧扩张。2000 年 1 月，国务院办公厅印发《关于国务院授权省、自治区、直辖市人民政府审批设立高等职业学校有关问题的通知》提出："把发展高等职业教育的权利以及责任交给省级政府，进一步扩大省级政府发展高等教育的决策权和统筹权。"这个通知让高等职业教育驶入了快车道，以"职业技术学院"("职业学院")命名的高校如雨后春笋在全国遍地开花，高等职业教育规模占据高等教育规模的半边天。

三、技术水平决定职业教育层次高低

技术是人类对客观世界及其运动规律的实践应用。表面上看职业教育是工业化的产物，但本质上，职业教育的发展是技术进步的需要和结果。我国在清末洋务运动时期出现实业教育，绝非偶然，是有其必然性的。明、清时期，我国科技发展和手工业水平不断提高，分工越来越细，专业化开始显现。鸦片战争的失败和太平天国革命的打击，清政府为维护其封建统治，谋取强国之道，开始学习西方军事技术，创办实业学校。辛亥革命结束了清王朝，建立了中华民国。由于一战的爆发，西方资本主义列强无暇顾及中国，为中国资本主义发展提供了良机，民族工商业得到发展。生产力的发展。迫切需要各类技术人才，刺激了职业教育的发展。改革开放以前，我国一直处于手工生产力阶段，科技发展水平决定职业教育的培养目标是以体力消耗为主要特征的"工艺型劳动者"。科技的力量、水平等均处于恢复阶段，企业也主要以低科技含量的简单加工为主，相对应的中等职业教育发展主要以设立和恢复为主。改革开放后，我国经济建设进入新阶段，劳动技术结构分为高级尖端劳动技术、中级劳动技术和低级劳动技术，对应的人员分别为高级技术人员、中级技术人员和初级技术人员。为使职业教育适应经济建设和技术发展的需要，构建职业教育体系成为教育体制改革的一项重要任务。1985年的《关于教育体制改革的决定》提出："发展职业技术教育要以中等职业技术教育为重点，同时积极发展高等职业技术教育。"发展多层次的职业教育，满足国家与社会对大量技术人才的需要成为趋势。

第三节　我国台湾地区与美国的经验借鉴

要了解我国职业教育层次结构状况，通过历史只知道它是怎么来的，出现问题是怎么解决的，但要知道它的优缺点还得通过与他人的比较。通过对美国和我国台湾地区职业教育层次结构的变化与现状进行研究，可以了解其职业教育层次结构变化的原因，认识其职业教育层次结构变化的规律，层次之间是如何衔接的，但由于环境不一样，比较只能为我们提供思路，指出方向。

一、我国台湾地区的经验与启示

（一）构建了完整衔接的职业教育层次结构

我国台湾地区完成9年义务教育后，学生可以进入普通高中、综合高中、高级职业学校和五年制专科继续学习。学生普通高中毕业后，可以进入普通高等学校（普通大学）就读，也可进入二年制专科学校（二专）就读，还可以进入四年制的技术学院（四技）。综合高中毕业生可以进入普通高等学校（普通大学）就读，也可进入二年制专科学校就读，还可以进入四年制的技术学院。高级职业学校毕业生，可升入两年制专科（二专）和四年制的技术学院以及普通本科就读，2009年高级职业学校学生的升学率为76.91%。五年制专科（五专）的毕业生可以进入二年制的技术学院就读或工作三年后报考硕士班。二专的毕业生可以进入二年制的技术学院就读或在工作三年后报考硕士班。四技、二技和普通本科毕业的学生均可授予学士学位。技术大学和技术学院设研究院（所）招收硕士、博士研究生。科技大学除了招收四技、二技的学生外，还办有硕士班、博士班。我国台湾地区技职教育已构建了相互衔接且完整的职业教育层次结构，形成了与普通高等教育并驾齐驱的教育通道，但在与普通教育融合方面，只有低一层级的教育通过补习教育才能相通，同一层级的教育之间没有相通，实行双轨制的教育体系。

（二）职业教育各层次有明确的培养目标

我国台湾地区对各级职业教育提出了明确的培养目标。中等职业教育（高级职业学校）教导学生职业智能，培养职业道德，养成健全之基础技术人才；专科层次职业教育（两年制专科和五年制专科学校）培养各行业的技术员、工程师助理、技术师助理和领班等，理论知识学习与操作技术训练并重；本科层次职业教育（科技大学和技术学院本科班）培养各行业的技术师、一线管理人才和现场技术人员，学习高深的科学技术知识和操作复杂精密的机器、设备以控制复杂的生产过程等；研究生层次职业教育（科技大学或技术学院的研究所）培养研发高科技人才、高级技术人才和高层次管理人才，学习比技术师更深一层科学技术知识外，还学习管理知识，操作的机器多半与自动控制、激光等高新技术有关。

（三）通过"过渡课程"实现不同类型间的衔接

我国台湾地区实行双轨制的教育体系，同一类型的教育层次之间衔接畅通，而不同类型之间的沟通要通过"补习教育"或"过渡课程"来实现。"补习教育"的作用在于帮助跨类就读的学生弥补入学标准之间的差距，这不仅使学生顺利实现不同类型教育间的衔接，也填补了生源不足学校的生源。职业学校毕业生可以报考专业对口的专科学校、技术学院和科技大学，也可以报考普通高等学校，但两类考试内容有差异，他们可以在课余或假期参加一些文化课的补习，学习"过渡课程"，再去参加考试；普通教育类型的学生要报考技职教育类学校，也必须经过技术类"过渡课程"的学习，才能接受具有高等职业教育性质的高级国家证书或文凭教育，从而保证普通高中毕业生能够顺利适应高等职业教育提供的偏重实用的课程。

二、美国的经验与启示

（一）完整的职业教育层次结构

从前述的美国职业教育层次结构变迁可获知，美国已经构建了以中等职业教育为起点的完整的职业教育层次结构。中等职业教育在综合中学以职业课程的形式体现，与普通教育差异不明显，比较明显的分类是在高等职业教育阶段。美国高等职业教育和“以学术为目的”的普通高等教育并存于各层次高等教育中。社区学院专科阶段的教育突出职业教育的特性，以高中文化为基础，以培养技术性人才，直接就业于某种职业岗位（或岗位群）为目的，但也承担学生通向更高层次教育的过渡，即转学功能，并且其转学功能越来越强大。美国专门学院或技术学院承担技术本科教育和专业学位教育。

（二）授予高职高专毕业生“副学士学位”

美国和我国台湾地区所有层次高等教育都授予学位，在专科层次职业教育授予“副学士学位”，成为入学和就业的一种资格。在我国高职教育的发展过程中，可以选择符合一定要求的示范（骨干）高职院校的重点专业，试行授予高职院校优秀毕业生副学士学位。副学士学位获得者可以提供升入应用型本科院校相同或相关专业学习的机会，因此，授予高职高专毕业生“副学士学位”，既可以给予高职院校学生继续学习的希望和动力，也可以促使高职院校为取得授予副学士学位权进行自身建设，自觉提高办学质量。“副学士学位”的设置与专业学士学位、专业硕士学位和专业博士学位构成我国完善的专业学位体系。

（三）职业教育层次间的衔接

职业教育层次间的衔接既落实到形式上的衔接，更落实到内容上的衔接。美国非常重视综合中学（高中）与高中后技术准备课程的衔接，其方式就是将中等职业教育与高中后技术准备教育紧密连接在一起，统一制定出中、高职衔接的教学大纲，采用以应用为导向的综合课程或双学分课程实现中、高职衔接。美国职业教育各层次的培养目标经过多年的改革发展，逐渐形成了既能为受教育者提供适应就业市场所需的实用技能，又能为受教育者升学提供必要的知识储备。

专科职业教育与本科教育采取“2 + 2”学制。美国专科职业教育是社区学院两年制教育。两年制社区学院教育有就业和转学的功能，并且转学功能越来越强。转学功能主要是为学生进入本科高年级继续深造的准备教育，专业和课程与本科前两年沟通，并与本科后两年衔接。这种衔接方式使两年制社区学院和四年制大学（或学院）之间的专业和课程无缝衔接，不会产生任何重复修习课程的现象。

第四节　我国职业教育层次结构存在的问题

在现实数据和资料的基础上，以职业教育层次结构合理性判别理论准绳为标尺，检视并诊断我国职业教育层次结构的现状，以框定我国职业教育层次结构是否存在问题，存在什么样的问题，导致这些问题的原因是什么。

一、职业教育层次划分依据不合理，各层次培养目标不清晰

（一）职业教育层次划分依据不合理

我国《职业教育法》规定："职业学校教育分为初等、中等、高等职业学校教育。初等、中等职业学校教育分别由初等、中等职业学校实施；高等职业学校教育根据需要和条件由高等职业学校实施，或者由普通高等学校实施"。这一规定只指出各级职业教育办学实施的主体，而没有具体区分职业教育层次的实质——培养目标。依据这个规定我国现行对职业教育层次的划分是按学生入学学历来划分的，即凡是以小学毕业生为招生对象的便是初等职业教育；凡是以初中毕业生为招生对象的便是中等职业教育；凡是以高中毕业生为招生对象的便是高等职业教育。这一划分，有利于保持职业教育结构层次的完整性，有利于职业教育与基础教育的衔接，但这种划分方法至少存在以下问题：一是不能反映职业教育的起点是历史的和动态的；二是不能明确各层次的培养目标，导致各个层次与专业技术人员结构的层次难以对应；三是不能反映职业教育层次间的内在联系。

（二）各层次培养目标不清晰

当前的职业教育体系建设存在一个非常突出的问题，即各层次职业教育定位不清、特色不明，相互挤占，出现这种现象的主要原因是中等和专科层次职业教育在培养规格即人的知识，能力，素质描述上各层次间的界定不是很清楚，等级定义模糊。2011 年 8 月，教育部颁布的《教育部关于推进中等和高等职业教育协调发展的指导意见》提出"中等职业教育是高中阶段教育的重要组成部分，重点培养技能型人才，发挥基础性作用；高等职业教育是高等教育的重要组成部分，重点培养

高端技能型人才，发挥引领作用。完善高端技能型人才通过应用本科教育对口培养的制度，积极探索高端技能型人才专业硕士培养制度。”上述将中等职业教育定位在技能型人才，不分层次，而高等职业教育定位在高端技能型人才。这种培养目标界定就不清晰，到底是怎样的知识、技能水平是技能型人才，怎样的水平又算高端技能型人才呢？我们无法获得准确的定位。各层次培养目标不清晰导致的结果：中等职业教育学校成为雇主廉价劳动力的来源场所，学生成为机器的附庸；高职高专教育办成了本科压缩型，培养目标不明确，课程设置无特色，培养的学生理论知识不如本科，动手能力不如中专，甚至高职高专的培养目标下移向中职靠，结果使得毕业生就业时高不成，低不就；专业学位教育用学术型人才培养模式进行培养，脱离了培养目标，造成毕业生就业定位偏离，失去专业学位教育的意义。

二、职业教育层次衔接不畅，衔接重形式轻内涵

（一）中等职业教育与高职高专教育衔接不畅

首先，学制衔接方式多，但招生入口较窄。目前中高职学制衔接模式主要有：“五年一贯制”、“3+3”或“3+2”的分段联合办学模式和独立模式。从目前学制模式上看，中高是衔接的，但只是形式上衔接，呈外延式和粗放式，而对培养目标、课程设置等方面的衔接重视不够，忽视了衔接的内涵建设，内涵性没有得到充分体现。对中高职衔接不能进行统筹安排和整体设计，降低了教学效能，难以满足学生全面发展和个性发展的实际需要。

由于当前中高职学制衔接模式多样，招生模式也出现对口招生、高职自主单独招生、部分民办高职注册入学、“五年一贯制”招生和“3+2”或“3+3”等多样化。多元化的招生模式为高职院校生源的稳定提供了一定程度的保障，但现阶段高职招生计划中90%以上招收普高生，只有不到10%计划面向中职生，这样就大大局限了中职的发展，甚至陷于终结性教育境地，因此，尽管有多种入学方式，但招生规模的限制使得中高职衔接不畅。

其次，专业设置无法精准对接。在2010年教育部修订的《中等职业学校专业目录》中，18个专业大类，中职专业数由原来的270个增加到321个，其中新增专业85个，从原目录中删除专业22个。中等职业教育专业设置强调适应市场需求，

促进专业与区域产业、职业岗位对接，学校可以根据需要设置，与时代更合拍、与市场更吻合。在《中国普通高等学校高职高专教育指导性专业目录(2004年版)》中，共分19个专业大类、78个专业小类、532个专业，如果需要新设或更新专业，都有比较严格的论证审批限制。通过专业对比，在中职教育中设置了的专业，有的难以在专科层次中找到，如休闲保健类。显然，中高职专业设置存在"各自为政"现象，相互之间有效缺乏沟通和协调，在专业名称、分类、要求等方面非常不匹配。由于中职和专科职业教育之间的专业设置"不对口"，专业之间难以衔接，导致很多有意愿升学的中职学生无法继续升学深造。

最后，专业课内容重复或脱节。中等职业学校和高等职业院校各自确定自己的课程体系和教学内容，因此在一些专业课程中，出现高等职业教育内容重复的现象，主要表现在两个方面，一是课程名称雷同，例如中高职旅游专业教学都开设导游基础知识、导游实务、旅游法规等课程，选用的教材也基本雷同，"特别是财经类、管理类等专业相同率达80%以上"；二是名称不一样课程内容重复，例如张健在《对中高职课程有机衔接的思考》一文中认为："在对一些中高职院校名称相同的课程进行对比后不难发现，课程内容重复率不下30%，甚至高达60%"。以上不仅造成中、高等职业教育资源与学习时间的浪费，也严重影响了学生的学习兴趣与积极性。

中等职业学校毕业生难以适应高等职业院校教学内容。由于我国高职学校招收的学生绝大部分是普通高中毕业生，开设课程需考虑他们的学习情况，因此中等职业学校毕业生由于文化知识基础薄弱，一旦理论深度加深或脱离基础，他们在基础知识理论和专业知识理论的学习方面会遇到很多困难，就会形成"知识的难度和人的领会吸收能力之间的紧张关系"。

(二)中等职业教育与应用型本科教育衔接路径单一

目前，中等职业教育与应用型本科教育衔接仅有的途径是通过"三校生"高考，达到应用型本科院校录取分数先后升入就读，这条途径规模非常有限，录取比普通高考难得多。从这一点看，普通高中毕业生和中等职业教育毕业生的升学机会就不同，存在不公平现象。由于升学途径受限，初中毕业生一般都倾向于普高。应用型本科教育招收少量的"三校生"，一是受招生计划的限制；二是认为"三校生"生源质量比普通高考学生差；三是应用型本科实训条件跟不上，难以满足职业教育的实践教学。

（三）高职高专教育与应用型本科教育衔接受限

我国高职高专教育与应用型本科教育衔接的主要模式是“3 + 2”专升本招考模式，通道比较单一且狭窄，并且这种单一的招考方式也存在一些问题。根据对部分省市“专升本”考试方案的分析，发现“专升本”考试内容部分甚至全部由省、市级教育主管部门决定，无法体现高职院校的专业特色；考试内容偏重文化（理论）、忽略实践技能；考试形式主要是单一的笔试等与高职高专教育脱节的问题。尽管采取“专升本”的方式使一部分高职生继续升入普通本科院校学习，但由于两者是不同的教育类型，一旦他们升入普通本科就放弃了职业教育体系，而步入学术教育体系。这种途径使他们以前所学的专业技术知识和技能全部荒废，重新学习学科体系的知识，对他们而言会非常困难。这种衔接不利于技术型人力资源的开发，从而加剧高层次技术型人才的供需失调。现实中由于职业教育体系内部层次结构不完整、衔接不畅正制约着职业教育结构功能的发挥。借用北京师范大学王英杰教授所说：“我们的职业教育系统就像一所缺乏走廊的建筑，都是相互割裂的房子，而且只有一个门进，一个门出，这是一个很可怕的现象”。由此可见，我国现行职业教育层次结构不衔接和缺乏必要的“通道”，限制了我国职业教育的发展和高级技术人才的培养。

（四）职业教育各层次规模比例失衡，难以满足不同层次人才的需求

职业教育各层次的任务是最大限度满足经济发展所需的本层面人才，按照各层次人才需求比例培养不同层次的技术应用型人才和高技能人才，促进经济结构、产业结构、技术结构与职业教育层次结构的协调发展。

从供应看，层次结构不合理。目前，我国职业教育已确立初等职业教育、中等职业教育和高等职业教育，其中高等职业教育分为专科层次的高等职业教育、本科层次的高等职业教育和研究生层次的高等职业教育。从生态角度看，任何人才类型的层次结构应该是稳定的“金字塔型”，相应的培养层次结构也应该是这样。

从表 10 可以看出各层次发展并不平衡，初等职业教育由于不适应我国经济的发展而逐渐消失是合理的，但高等职业教育大多停留在专科层次，本科层次职业教育出现断层现象，专业学位教育数量少，这既违反了“金字塔”理论，也不符合我国经济发展的需求，甚至制约了我国经济的可持续发展。按照国际货币基金组

织(IMF)公布的数据,2010年,我国的人均GDP已达4 382美元。我国处在人均生产总值从4 000美元向5 000美元攀升的重要时期。根据美国著名经济学家H·钱纳里等人提出的经济增长阶段及产业结构状态的理论,这一时期,基本处于工业化中后期向工业化后期过渡阶段,其经济结构状态以加工组装业为中心,以能源、重化工和加工装配型产业为主导产业;经济产业结构的调整,要求加快培养适应现代制造业、高技术产业、现代服务业和信息产业发展需要的高层次专门人才221。但2009年我国职业教育类型的中职、高职、专业学位的在校生比例分别为67%、32%、1%,高层次专门人才培养仅占1%。根据上述数据来看,低层次的技能人才供应量过剩,中级层次技术人才不足,高层次研究应用型人才严重短缺。导致这一现象的原因是我国职业教育层次比例不协调,本科层次的职业教育至今没有得到重视,本科层次的职业教育被认为比普通本科教育要低一等。

表10　2000—2010年我国职业教育各层次在校生数及其比例(人)

年份	在校生数			各占比例
	中职	高专职业	专业学位	中职生：高职生：专业学位生
2000	10 441 800	1 008 700	缺数据	
2001	9 757 800	1 467 900	缺数据	
2002	10 431 800	3 762 786	113 497	92：33：1
2003	10 278 823	4 793 553	149 695	69：32：1
2004	13 058 979	5 956 533	201 448	65：30：1
2005	14 874 938	7 129 579	254 672	58：28：1
2006	17 022 970	7 955 046	299 100	57：27：1
2007	19 740 223	8 605 924	346 068	57：25：1
2008	19 664 414	9 168 042	393 816	50：23：1
2009	20 176 983	9 648 059	394 331	51：24：1
2010	22 317 637	9 661 797	420 294	53：23：1

数据来源：教育部教育统计数据 http://www.moe.gov.cn/

从经济发展阶段看，人才层次不合理。在一定的经济发展阶段，必须要有相应的人才才能适应和促进经济的继续发展。只有形成合理的职业教育层次结构，才能有效地为经济发展培养和输送质量合格、数量及层次种类相当的专门人才。从人均国民收入、产业结构占GDP的比重，或就业结构的比重来看，我国已经进入工业化中后期，至少进入重工业化时期。对照表11和表12，到2011年底，我国国民收入人均GDP已达5 432美元，单从这一数据看，表明我国已进入高度工业化中期，这一时期的人力资源结构特征应当为技术密集型，教育层次结构应当为本科、硕士，人才适用规格为技术型、知识型。但我国国民收入东、中、西部地区差异非常显著，城乡差距非常大，对照发达国家工业化进程中人力资源结构特征，我国在东部地区已经进入高度工业化中后期，中西部仍处于刚走出重工业化时期，但都走出了重工业化时期，因此，现阶段我国人力资源结构特征表现为以资金密集型为主向以技术密集型为主转型。在这个阶段职业教育层次至少要以职校、大专、本科教育为主，甚至是以本科和硕士教育为主，然而当前我国职业教育层次结构还停留在技工、中专、大专教育为主，培养实用型人才，出现人才培养类型不适应重工业化时期的需要。

表11　发达国家工业化进程中人力资源结构特征表

人均年收入（2003年美元）	工业化进程	人力资源结构特征	职业教育层次结构	人才规格
300以下	轻工业化时期	劳动密集型	技工、中专、大专	实用型
300—1 500	重工业化时期	资金密集型	职校、大专、本科	实用型、职业型、技术型
1 500—10 000	高度工业化时期	技术密集型	本科、硕士	技术型、知识型
10 000以上	高技术附加值时期	知识密集型	本科、硕士、博士	知识型、研究型

资料来源：据World Education Report（2003年）资料整理得出

表 12　2011 年人均国内生产总值、城镇居民收入和农村居民收入区域分布

内容	全国	东部地区	中部地区	西部地区
人均国内生产总值(2010年美元)	5 432	6 440	3 456	3 104
城镇居民收入(美元)	3 633	3 773	2 703	2 030
农村居民收入(美元)	1 057	1 752	983	811

注：东、中、西地区取中位数，资料来源：中华人民共和国 2011 年国民经济和社会发展统计公报

从当前需求看，技术人才等级结构不合理。根据 2011 年度全国部分城市公共就业服务机构市场供求状况分析，“用人单位对技术等级有明确要求的约占总需求人数的 54.2%，主要集中在初级工、中级工和技术员、工程师。54.1%的求职者都具有某种技术等级的职业资格，主要集中在初级工、中级工和技术员、工程师。求职人员的技术等级构成基本与用人单位对求职者技术等级的要求相匹配，但从供求状况对比看，各技术等级均处于需求人数大于求职人数的状况，岗位空缺与求职人数的比率相对较高的是高级工程师(高级职称)、技师(职业资格二级)和高级技师(职业资格一级)，其岗位空缺与求职人数的比率分别为 2.34，1.88 和 1.76。

三、专业结构比例失衡，难以满足产业结构对人才的需求

(一) 专业结构不合理

根据 2011 年度全国部分城市公共就业服务机构市场供求状况分析，“各类职业的需求状况：2011 年制造业、商业和服务业人员、生产运输设备操作工是用人需求的主体，所占比重分别为 32.2%，29.5%和 27.8%，但求职人数相对集中的职业是商业和服务业人员、生产运输设备操作工，所占比重分别为 28.8%和 30%”。从供求状况对比来看，生产运输设备操作工、商业和服务业人员供求职人数的比率相当，但制造业劳动力需求远大于供给。在职业教育中，人才培养的专业主要集中在商业和服务业等大类，而制造业、新材料、新能源、生物技术等专业相对较

少。从2009年部分行业就业人员数目——专业培养人才数目结构偏离度可看出，农业（农林牧渔业）、运输邮电业（交通运输、仓储、邮政业）、金融保险业、批发零售贸易餐饮业、其他服务业的偏离度均为负值，说明这些行业对应的专业培养规模大于需求，尤其是需要知识含量高的行业，中等职业教育专业培养的人才水平不能满足，显得“供大于求”。工业（采矿业、制造业、水电气）、建筑业等技能型行业偏离度为负值，说明培养规模尚不能完全满足这类行业的需求。

（二）就业结构不合理

根据2011年度全国部分城市公共就业服务机构市场供求状况分析，“从产业需求看，以第三产业为主体的产业需求格局基本稳定，但第三产业的用人需求比重呈下降趋势，而第二产业的用人需求比重稳步上升。分行业看，制造业需求旺盛，呈不断上升的态势，批发零售业、住宿餐饮业、社会服务业的需求比重趋于下降”。但目前职业教育培养的专业人员，无论从数量上还是质量上都不能满足第二产业需求，而第三产业就业人数供过于求。从专业对口率来看，麦可思调查公司发布的《2010大学生就业报告》中有关“2009届大学毕业生工作与专业对口状况”调查结果显示高职高专的资源开发与测绘大类、医药卫生大类、能源大类和交通运输大类毕业生专业对口就业率平均值大于等于80%，其他大类毕业生专业对口就业率平均值低于80%。上述调查表明工学类、医学类等技术性毕业生专业对口就业率（程度）的平均值和标准差均高于文科类和管理类毕业生。

四、职业教育层次结构不完善，难以满足终身学习的需要

我国现行的职业教育层次可以划分为少量的初等职业教育，占据中等教育半壁江山的中等职业教育和占据高等教育半壁江山的专科层次的职业教育三个层次。这种层次结构，在经济不很发达的条件下，生产现场需要大量操作工人和普通技术管理人员，将高等职业教育仅定位于专科层次未尝不可。但随着我国社会主义市场经济和科学技术的飞速发展，以资金技术密集型的新型工业逐步取代劳动力密集型的传统产业，具有高技能和高素质的高级技术人才的需求量越来越大。这些人才从培养模式来看，具有典型的职业教育特点；从人才层次上看，既需要专科，又需要本科，还需要研究生。但是从我国现行的教育结构来看，仍然二分

为以升学为目的和以就业为目的的教育。以升学为目的的教育即我国九年制义务教育之后的普通教育系统，包括高中、专科、本科、硕士研究生、博士研究生教育。以就业为目标的教育是我国九年制义务教育之后的职业教育系统，只有职业高中、职业技校或中专、高职（大专），也就是说，高职到专科这一层次就封顶了，致使高职教育体系内部通道不畅，某种程度上形成了“断头教育”、“无身教育”和“空白教育”。这种以就业为目的的职业教育，层次仅限于中等职业教育和专科层次职业教育已不能适应我国现阶段的社会、经济和科学技术的发展，是不完整的。造成这种现象的原因如下：一是职业教育发展不适应外界环境的变化；二是职业教育管理体制的局限，如中等职业教育由教育部门和劳动部门分别管理自己条块的职业教育机构，以前高职高专放在高等教育司管理，各自都想重点发展，结果导致中等职业教育和高等职业教育发展不仅与经济发展脱节，而且职业教育结构不完整。

五、各类各层职业教育管理不统一，难以形成系统化管理机制

（一）各类职业教育管理不统一

我国中等专业学校、职业高中和高等职业学校归教育部门管理，技工学校和职业培训归劳动保障部门管理，而掌握生源的中学又归教育部门管理。由于政出多门、条块分割、相互孤立、相互脱节，高等职技院校之间，中等职技与高等职技教育之间，互不了解、互不交往，更有甚者，在同一城市、同一行业的高等职技院校和中等职技学校平时极少往来，更谈不上进行协作、交流。而相应主管部门各管一摊、互相独立，各自为政又各成体系，搞得各省、各地方的教育与劳动部门也是壁垒森严。存在着职业教育资源缺乏与资源分散并存，政策缺位与政出多门并存，投入不足与多头领导并存，说起来重要与做起来次要并存等怪现象。

（二）各层次职业教育管理不统一

职业教育的管理机构主要是教育行政部门和人力资源部门。地方教育厅的职业教育和成人教育处协调并管理辖区的中等职业教育执行机构，包括职业高中、中等专科学校以及技工学校，而高等教育处管理辖区的高职高专教育，使中等职业教育学校和高职高专教育学校相互间信息难以交流。中等职业教育在行政

管理上归属于职业教育部门，结合市场需求，其专业设置虽然种类繁多，但覆盖面较为狭小，而高等职业院校从行政管理角度来讲归属于高等教育部门，其专业设置考虑学科更多，使得一些中等职业教育专业毕业的学生无法找到能对口升学的高等职业专业。

第五节　职业教育发展的思考

一、依据人才类型与职业资格标准划分职业教育层次，明确培养目标

首先，中等职业教育是基础，培养操作技能型人才。中等职业教育培养操作技能型人才，并为更高层次职业教育输送合格的生源。操作技能型人才是指在生产第一线或工作现场实际操作的人才，按照指定的程序与步骤，完成既定目标。他们主要从事具体的社会生产实践活动，例如工程建设、加工制造、提供服务等具体的操作工作，为社会谋取直接的利益。这层次人才掌握了熟练的操作技能、积累了技术实践知识和学习了少量技术理论知识，以及有一定的文化素质和职业道德。操作型技能人才等级主要体现为生产经验型。生产经验需要在生产实践中锻炼、积累。操作技能掌握的熟练程度需要在基本技能训练的基础上反复实践，才能做到熟能生巧。培养这类人才，学校只能为其提供训练技能所需的少量技术理论知识，技能熟练程度的提高则要在工作实践中去锻炼。因此，这层次的人才特点以机械操作和实践劳动为主，技术理论知识少且很容易被替代。他们一般拥有初级技工、中级技工等职业资格。

二、职业教育重心高移至专科层次，培养技术技能型人才

专科层次职业教育培养技术技能型人才。技术技能型人才是相对于技术型人才和技能型人才而言的，它是在一定经济社会条件下，在所从事的职业技术领域范围内掌握了基本的技术理论知识和技术实践知识的劳动者，并且劳动技能熟练程度高，经验丰富，对隐性知识与隐性技术的精准掌握，以及较强的问题解决能

力。他们运用经验知识完成任务和技术理论解决生产一线实际问题，注重操作的熟练程度和技术原理的理解，相对于操作技能型人才来说更强调技术综合能力和一般性智力技能，相对于技术型人才来说，动作技能熟练程度更高。这类人才有一定的专业基础理论（不要求其知识的系统性和完整性）和技术原理知识，有精湛的生产劳动技艺，能从事技术含量大、劳动复杂度高的工作，实践能力强，对前沿性技术的了解和掌握程度较高，是能够独立解决关键性问题能力的高素质劳动者。

三、统筹专业设置

职业院校的专业设置应该按照国家新时期的战略布局，区域经济发展的要求及时调整，给社会输送需要的专业技能人才。目前，职业院校在自主办学过程中，对专业的设置需要考虑本校的师资力量、实训条件、办学基础等问题，但按照社会需求的变化砍掉旧专业、增设新专业道理好讲，操作困难。对专业进行改头换面、换汤不换药的情况非常普遍。政府教育主管部门应该在对本区域的经济社会情况调查的基础上，制定一以贯之的系统的专业目录，及时增设社会需求量大的专业，对社会需求饱和的专业及时压缩，整合教育资源，合理配置各个职业院校的专业，使我们培养的学生能够更快、更好地就业，对区域经济发展发挥最大效用。

第六章

抬高底部:“三区三州”教育精准扶贫脱贫

长期以来,教育扶贫被视为贫困地区脱贫攻坚的重要抓手。十八大以来,以习近平同志为核心的党中央对扶贫开发工作作出了一系列深刻阐述和全面部署,教育扶贫成为阻断贫困代际传递的重要途径,扶贫开发上升到前所未有的战略高度。

2013 年 11 月,习近平总书记在湖南湘西考察时首次提出精准扶贫。自此,中央和地方多次召开会议讨论精准扶贫,教育精准扶贫是其中的重要内容。5 年过去了,教育精准扶贫的进展如何？还存在什么问题？本专题将聚焦“三区三州”教育精准扶贫,从“三区三州”的人员和社会发展状况、教育精准扶贫的实践形式和内容、教育精准扶贫存在的主要问题和产生原因、中外教育精准扶贫的案例、问题与思考五个方面,阐述教育精准扶贫的推进现状及其未来走向。

第一节 “三区三州”人员和社会状况

一、集中连片特困地区,制约教育发展

“三区”指的是西藏、四省(青海、四川、甘肃、云南)藏区、南疆四地州(和田地区、阿克苏地区、喀什地区、克孜勒苏柯尔克孜自治州)等三个区域;“三州”指的是四川凉山彝族州、云南怒江傈僳族自治州、甘肃临夏回族自治州等三个民族自治州。“三区三州”在我国的地理位置如表 13 所示,可以看出,这些地区均位于我国西部,既是少数民族聚集区域,也是我国集中连片特困地区,是脱贫攻坚中需要重

点关注的区域。

表 13 “三区三州”所代表的地区

<table>
<tr><th>编号</th><th colspan="4">地区</th></tr>
<tr><td>1</td><td colspan="3">西藏自治区</td><td rowspan="15">三区</td></tr>
<tr><td>2</td><td>海北藏族自治州</td><td rowspan="6">青海</td><td rowspan="10">四省藏区</td></tr>
<tr><td>3</td><td>黄南藏族自治州</td></tr>
<tr><td>4</td><td>海南藏族自治州</td></tr>
<tr><td>5</td><td>果洛藏族自治州</td></tr>
<tr><td>6</td><td>玉树藏族自治州</td></tr>
<tr><td>7</td><td>海西蒙古族藏族自治州</td></tr>
<tr><td>8</td><td>阿坝藏族羌族自治州</td><td rowspan="2">四川</td></tr>
<tr><td>9</td><td>甘孜藏族自治州</td></tr>
<tr><td>10</td><td>迪庆藏族自治州</td><td>云南</td></tr>
<tr><td>11</td><td>甘南藏族自治州</td><td>甘肃</td></tr>
<tr><td>12</td><td>和田地区</td><td colspan="2" rowspan="4">南疆四地州</td></tr>
<tr><td>13</td><td>喀什地区</td></tr>
<tr><td>14</td><td>克孜勒苏柯尔克孜自治州</td></tr>
<tr><td>15</td><td>阿克苏地区</td></tr>
<tr><td>16</td><td>彝族凉山自治州</td><td colspan="2">四川</td><td rowspan="3">三州</td></tr>
<tr><td>17</td><td>怒江傈僳族自治州</td><td colspan="2">云南</td></tr>
<tr><td>18</td><td>临夏回族自治州</td><td colspan="2">甘肃</td></tr>
</table>

人口布局方面，除四川省，“三区三州”所在省份的人口密度均低于全国平均水平，属于人口稀少地区。四川省内的阿坝州、甘孜州和凉山州的人口密度也都低于全国平均水平。地广人稀的客观条件，增加了教育精准扶贫难度。以 2016 年度的人均 GDP 为指标进行考察，虽然“三区三州”所在省份的经济增长率多高于全国同期增长率，但其整体经济水平都位于全国中下游，经济上的落后成为制约当地教育发展的重要因素。

表 14 “三区三州”所在省份的经济发展情况

地区	常住人口（万人）	人口密度（人/平方公里）	人均 GDP（元）	人均 GDP 排名
甘肃	2 609.95	58	27 458（+7.2%）	全国 31
云南	4 770.50	122	30 949（+8.0%）	全国 30
新疆	2 398.08	15	40 427（+5.3%）	全国 21
西藏	330.54	3	35 184（7.8%）	全国 27
青海	593.46	8	43 531（+7.1%）	全国 18
四川	8 262.00	170	39 695（+7.0%）	全国 24
阿坝藏族羌族自治州	91.95	11	30 595（+5.3%）	全省 15
甘孜藏族自治州	110.10	7	19 596（+6.4%）	全省 20
彝族凉山自治州	512.36	85	29 549（+4.5%）	全省 16
全国	138 271	144	53 980（+6.1%）	

资料来源：全国以及各省 2017 年统计年鉴中的常住人口数、行政区域面积和 GDP
说明：参与排名的省级行政单位共 31 个，四川省地级行政单位共 21 个

二、交通信息不畅，阻碍教育发展

我国贫困地区大多地处山区和边远地区，这些地区普遍存在交通不便、信息不畅的问题。在广大贫困地区，公路密度低，路体质量较差，很多地段多靠“天路”，天晴勉强通车，下雨严重受阻。由于交通不便，贫困地区行路难问题已成为制约当地社会经济发展的瓶颈，物资交流、商品流通困难重重，不仅严重影响当地经济生产发展，也成为教育发展的一大瓶颈。如云南省怒江州福贡县马吉乡中心小学兄弟俩靠飞索过江上学，每天要走 8 公里的陡峭山路等消息，近年来在各类媒体时有披露，引发社会关注。

党的十八大以来，我国积极解决贫困地区的交通发展短板问题。如今在四川，除甘孜、阿坝、凉山三州之外，所有贫困县都实现了建成或者在建高速公路的全覆盖，贫困地区群众出行条件得到极大改善，制约农村经济社会发展的交通瓶颈正得到解决。

三、民族文化发展“断档”，影响当地教育发展

由于文化背景的特殊性，“三区三州”很多地区受宗教文化影响广泛，不少地区可谓从奴隶社会一步跨入社会主义社会。社会认知的“断档”，传统文化、风俗习惯影响着当地教育的发展。近年来，随着“两免一补”等大力扶持、发展民族地区教育相关政策的实施，少数民族地区学生的学习费用问题已基本得到解决，但辍学问题仍普遍存在。

四、幼儿园和小学数量基本达标，初高中设点远低于全国平均水平

以每万人拥有的学校数量为指标，考察“三区三州”所在省份的学校布局情况。学前教育方面，西藏、青海、甘肃、新疆的幼儿园数量相对较多，高于全国平均水平。而云南和四川的幼儿园数量相对较少，低于全国平均水平。四川省下辖凉山州的幼儿园低于全省水平，阿坝州和甘孜州的幼儿园数量则相对较多。小学方面，除四川外，其余地区的小学数量均高于全国水平。四川省每万人拥有 0.72 所小学，远低于全国平均水平，而其下辖阿坝州、甘孜州和凉山州的小学数量则高于全国平均水平。初中方面，除云南和西藏外，各地区的初中数量都高于全国平均水平，而四川甘孜州和凉山州则低于全国平均水平。高中方面，西藏和四川的高中数量低于全国平均水平，四川阿坝州和甘孜州的高中数量高于全国平均水平，而凉山州则低于全国平均水平。中职方面，西藏和四川的学校数量低于全国平均水平，阿坝州、甘孜州和凉山州的中职学校数量也都低于全国平均水平。

表 15 “三区三州”所在省份的学校布局情况

地区	常住人口（万人）	每万人拥有的学校数				
		幼儿园	小学	初中	高中	中职
甘肃	2 609.95	2.47	2.65	0.57	0.15	0.08
云南	4 770.50	1.53	2.45	0.35	0.10	0.08
新疆	2 398.08	1.94	1.47	0.44	0.15	0.07

续　表

地区	常住人口（万人）	每万人拥有的学校数				
		幼儿园	小学	初中	高中	中职
西藏	330.54	3.11	2.44	0.30	0.09	0.03
青海	593.46	2.81	1.50	0.45	0.18	0.07
四川	8 262.00	1.56	0.72	0.46	0.09	0.05
阿坝藏族羌族自治州	91.95	3.67	2.77	0.41	0.21	0.04
甘孜藏族自治州	110.10	3.53	3.75	0.29	0.18	0.03
彝族凉山自治州	512.36	1.02	1.75	0.30	0.08	0.03
全国	138 271	1.73	1.28	0.38	0.10	0.06

资料来源：全国以及各省2017年统计年鉴中的常住人口数和各学段学校数

按照《四川省（区域性）地方标准城乡基本公共服务和社会管理设施设置规范》的相关要求，每5 000人设置一所幼儿园，每15 000人设置一所小学，每3万人设置一所初中。据此标准，凉山州的学校数量短缺严重。根据2016年度当地国民经济和社会发展统计公报的数据，甘孜州学前三年毛入园率达到63%，小学毛入学率达到116.99%（净入学率99.11%），初中毛入学率达到118.78%（净入学率96.01%），义务教育巩固率达到94%，高中阶段毛入学率达到83.58%。凉山州基础教育学龄儿童入学率99.54%，其中少数民族学龄儿童入学率99.24%。阿坝州小学学龄儿童入学率99.83%。

五、教师数量结构性短缺，师资质量水平低

以生师比为指标，幼儿园方面，“三区三州”所在省份的教师负担都较重，除青海外，各地生师比均高于全国平均水平，四川凉山州的生师比更是高达51.24。小学方面，除青海和四川外，各地生师比均低于全国平均水平，四川凉山州的生师比高于全国平均水平，而阿坝州的生师比低至9.9，是因为其在校小学生数量很少。初中方面，除云南和青海外，各地生师比均低于全国平均水平，四川甘孜州和凉山州的生师比高于全国平均水平。高中方面，除云南和四川外，各地生师比均低于

全国平均水平，四川甘孜州和凉山州的生师比高于全国平均水平。中职方面，除甘肃和西藏外，各地生师比都高于全国平均水平，中职教师负担普遍较重，而四川阿坝州的生师比低至9.9，说明其在校中职生数量很少。

参照我国中小学教职工编制标准，各地区小学和初中的师资都较充沛，均符合相应标准。高中方面，云南和四川的师资相对匮乏，不符合相应标准。四川省内的甘孜州和凉山州的高中师资相对匮乏，尤其是凉山州。

表16 “三区三州”师资状况

学段/省份	幼儿园		小学		初中		高中	
	本科以上学历	一级以上职称	本科以上学历	一级以上职称	本科以上学历	一级以上职称	本科以上学历	一级以上职称
四川	80%	20%	37%	58%	76%	58%	98%	64%
西藏	92%	48%	41%	49%	87%	49%	98%	48%
青海	76%	13%	55%	60%	81%	60%	95%	59%
甘肃	85%	39%	53%	46%	81%	46%	95%	55%
云南	76%	28%	41%	60%	84%	60%	98%	60%
新疆	80%	29%	41%	49%	73%	50%	97%	50%
全国平均水平	77%	21%	50%	61%	82%	61%	98%	64%

从数量方面来看，“三区三州”教师数量总体不缺，但存在地区差异，个别地区、部分学段教师数量匮乏；但从职称、学历方面来看，师资质量水平落后，多地多项指标处于全国平均水平以下。

六、双语教学逐步推进，发展势态较为乐观

从2015年起，阿坝师范学院开始探索“双语1+N”培养模式，即学生以藏语学习为基础，再选择2到3门专业学科作为必修科目，以解决双语教育教师总体数量不足、专业程度不高的问题。得益于精准的政策和政府的重视，越来越多民族地

区孩子投身教育、成为教师。这些学生毕业后又反哺民族地区的教育，一项政策获得了两方面效益，起到事半功倍的作用。2016 年，四川全省招收省级免费师范生 3 000 名，招聘“特岗计划”教师 3 548 人，签约免费师范毕业生 1 269 人。培训中小学校长教师 2 780 人、中职学校校长教师 1 570 人、乡村中小学幼儿园教师 14 万余人。实施“藏区千人支教十年计划”，计划在 2016 年至 2026 年 10 年间，每年保证有 1 000 名教师支援藏区教育发展。

一方面，在四川民族地区，由于语言环境不同，学生在汉语普通教学模式中普遍存在“学不懂”、“欠账多”等问题，影响了入学积极性。另一方面，单一的民族语言教学、缺少汉语交流，造成民族地区学生汉语言水平较低。为了让更多农牧民子女享受优质教育资源，破解“语言关”难题，阿坝州在实施 15 年免费教育的同时，开始打破县域间的边界，探索“双语异地办学”模式，增加少数民族学生与汉族教师、同学的交流机会。在四川民族地区，民族语文教学、“异地育人”等系列举措，让越来越多的民族地区学生接受了更好的教育。党的十八大以来，四川省累计投入 400 亿元支持民族地区教育发展，实施“民族地区教育发展十年行动计划”“大小凉山彝区教育扶贫提升工程”“藏区教育发展振兴计划”“藏区千人支教十年计划”等，新改扩建各类学校 1 000 余所，补充各级专任教师 1.35 万人，在 1 049 所学校推行双语教学，为 168 所中小学(幼儿园)开通远程教育。

第二节　教育精准扶贫的实践形式和内容

在实现精准脱贫目标时，教育不仅是脱贫的手段也是脱贫的目标。目前，教育精准扶贫的范围既包括学前教育、义务教育、普通高中教育和高等教育、继续教育等全学段教育，还包括贫困地区的教师人才队伍和学校基础设施教育软硬环境建设，扶贫措施主要有政策资助型、经费和基金资助型、“结对”资助型三类。

一、政策资助型

通过政策颁布而实施的教育精准扶贫资助，是教育精准扶贫中最基本也是最主要的资助类型，其可进一步划分为三种类型：普通资助政策、特殊资助政策、对口资助政策，这三类政策从不同层面覆盖了教育精准扶贫的各个方面。

（一）普通资助政策，覆盖多学段

在国家政策的强力推动下，学前教育、义务教育、普通高中、中等职业教育均已纳入国家学生资助体系。

（1）学前教育阶段，为解决“入园难”问题，从2011年开始，各省在中央号召下以县为单位制定适合本地情况的“学前教育三年行动计划”。中央财政前后投入700多亿元用于贫困地区学前教育发展。在中西部地区，特别是“三区三州”，无论是幼儿园数量还是在园幼儿数量，近些年的增速都远超东部地区，贫困地区儿童接受学前教育的权利得到保障。（2）义务教育阶段，随着“两免一补”（免学杂费、免书本费、逐步补助寄宿生生活费）政策的全面实施，城乡义务教育阶段所有学生已免除学杂费，贫困家庭寄宿生得到一定生活补助，贫困家庭学生上学的经济负担得到有效缓解。（3）普通高中阶段，从2010年起开始实施普通高中国家助学金政策，以支持家庭经济困难学生完成高中学业，平均资助标准为每生每年2 000元，资助范围为20%。2016年秋季学期起，助学金标准调整为两档，其中一等为每生每年3 500元，二等为1 000元。（4）中等职业教育阶段，自2012年开始，免除中等职业学校全日制正式学籍在校生中所有农村、城市涉农专业学生和家庭经济困难学生的学费，国家助学金资助标准为每生每年2 000元。目前，免学费、补助生活费的政策已覆盖了所有连片特困地区农村学生。（5）高等教育阶段建立起包含奖学金、助学金、助学贷款、师范生免费教育、勤工助学、“绿色通道”等多种方式的国家资助体系。

（二）特殊资助政策，覆盖重点民族地区

西藏和四川三州实施15年免费教育，新疆南疆四地州实施14年免费教育，这些覆盖重点民族地区的特殊资助政策，对少数地区的教育精准扶贫有极其重要的作用。

在针对民族地区的特殊支持政策的指导下，西藏实现了15年免费教育，义务教育的“三包”政策（包吃、包住、包学习费用）覆盖了从学前至高中阶段所有农牧民子女和城镇困难家庭子女，年受益学生达52.5万人，资助金额达15亿元。四川民族三州全面构建起15年免费教育体系，使民族地区群众的观念切实转变，从以前的“要我上学”变成如今的“我要上学”。新疆南疆四地州也实现了14年免费教育，覆盖了学前两年教育、义务教育和高中阶段教育，年受益人数190万人，资助金额超过50亿元。另外，还通过实施内地西藏班、新疆班、少数民族预科班、少数民族高层次骨干人才培养计划等对重点少数民族地区进行教育精准扶贫。

（三）对口支援政策，覆盖多数民族贫困地区

在教育对口支援政策方面，主要依托东中部职业教育集团对口支援和直属高校定点扶贫。

职业教育以其实用性强、见效快等优点，成为教育扶贫的重要一环。为提升“三区三州”职业教育质量，国家层面出台了一系列支持政策，如国家发展改革委、财政部《关于加快西藏和四省藏区中等职业教育发展的指导意见》和教育部《关于东中部职教集团、民办本科学校对口支援西藏和四省藏区中等职业教育的通知》等。通过开展区域协作，调配优质职教资源深入重点地区进行精准帮扶。2012年4月，教育部遴选了10个东部地区职业教育集团，包括企业、科研机构、中职学校、高职学校等，对口帮扶滇西边境山区10州市各1所中等职业学校。围绕区域支柱产业和特色产业发展，动态调整和优化专业设置，为当地培养更多急需的技术技能人才。针对地区实情，开发特色课程，开展模式化教学，培养学生综合素质。各地也因地制宜地创新职教扶贫形式。四川省摸索出“9+3”模式，即在9年义务教育基础上，免费提供3年中职教育，有效地开发了劳动力。甘肃省引导省内职业院校根据地方经济发展需求和人才市场需求调整专业结构，将中等职业教育专业设置权下放到学校，由学校根据市场人才需求调整设置专业。不少贫困地区将初中毕业未升入普通高中、高中毕业未升入高校的学生，全部纳入职业教育和技能培训中，建设实训基地，依托职业院校进行农村劳动力转移培训、农村实用型人才培训等专项培训，对贫困人口取得职业资格证书和专项职业能力证书的，按规定给予职业技能鉴定补贴。

直属高校积极发挥自身优势，支持教育精准扶贫。2012年，教育部联合发改委、财政部等部门发布《关于实施面向贫困地区定向招生专项计划的通知》，要求普通高校面向包括“三区三州”在内的集中连片特殊困难地区的生源，安排适量计划，实施定向招生。2017年，国家专项计划定向招收贫困地区学生6.3万人，比

2012年增长5万余人，越来越多的贫困地区学生获得了重点高校入学机会。

二、经费和基金资助型

教育精准扶贫最离不开的支持就是经费，教育政策的实施需要经费支持。推进教育精准扶贫，经费投入是重要保障，基金设立是重要防线。

（一）经费：教育精准扶贫的重要保障

以四川省凉山州为例来看经费对教育精准扶贫的保障情况。“十二五”以来，凉山州一般公共预算教育支出累计达546.94亿元、年均增长16.53%（中央省186.82亿元、州县360.12亿元），其中2017年全州教育支出达117.86亿元、占全州一般公共预算支出的24.6%。争取到位政府债券9.47亿元，用于义务教育、学前教育发展。截止到2017年，全州办学条件显著改善，教师队伍建设卓有成效，教育质量稳步提高，各级各类教育蓬勃发展。西昌、德昌、会理、会东、宁南、冕宁等6县市义务教育基本均衡发展并通过国家认定，盐源县义务教育基本均衡发展并通过省级认定。

（二）基金：教育精准扶贫的重要防线

党的十八大以来，四川省累计投入400亿元支持民族地区教育发展，实施“民族地区教育发展十年行动计划”“大小凉山彝区教育扶贫提升工程”“藏区教育发展振兴计划”“藏区千人支教十年计划”等，这些项目对推进当地教育精准扶贫起到巨大作用，但对于基本资助后仍存在的贫困问题，设立基金会进行帮扶成为托底的又一道防线。从2016年11月开始，四川各县市设立县（市）级教育扶贫救助基金，对享受现有教育保障制度和助学帮扶政策，但仍存在与子女就学有关的特殊困难农村贫困家庭，按每户500至5 000元的标准给予救助。18个县（市）县级教育扶贫救助基金于2016年11月设立，基金初始规模要求达到300万元，其中省财政划拨50万元，县级财政划拨50万元，其余资金通过社会募集。2017年5月通过财政专项注入，每县（市）基金规模达到500万元，大大增加了教育精准扶贫的防线。

三、“结对”资助型

“结对”资助是教育精准扶贫的重要实现类型，包括建立教育精准扶贫工作联盟、统筹东西部扶贫协作、中央单位定点扶贫、“携手奔小康”等帮扶形式。在“结对”帮扶过程中，比较典型的三类参与主体是：高校、社会力量和行政区域。

（一）高校：智力结对资助

教育部专门出台《关于做好直属高校定点扶贫工作的意见》，由科研实力最强、以理工科为主的教育部直属高校承担国家扶贫开发重点县的定点扶贫任务。各类地方高校也结合当地实情，开展对口帮扶。如四川大学充分发挥学校综合优势，全方位参与四川省的脱贫攻坚工作，对口定点扶贫凉山州甘洛县、广安市岳池县。四川大学充分发挥自身智力资源优势，组织相关专家积极参与扶贫县的规划建设，为县域经济社会发展出谋划策。协助两县编制完善《甘洛县 4・20 芦山地震灾后恢复重建项目总体规划（2013—2015）》《甘洛县“十三五”规划纲要》《岳池县“十三五”脱贫攻坚规划》等建设规划，对县域地方经济发展进行科学规划和论证指导。大学充分发挥培训资源优势，通过开办短期培训班、现场教学演示、召开专题培训大会、送教下乡、网络远程教育等多种形式，为对口县党政领导干部、基层村（社区）干部、教师队伍、医疗队伍开展各类培训共计 2 300 余人次，减免各类培训费用 40 余万元。同时，四川大学充分发挥研究生支教团智力优势，先后派出 30 余名支教老师前往两地中学开展支教活动，举办“爱心课堂”活动 20 余期，累计授课 5 100 多课时。除完成一线教学任务外，支教团还累计为甘洛筹集资金逾 43 万元，募集物资估值近百万元，资助覆盖 34 所学校共 12 000 余名学生。

（二）社会力量：人力结对资助

鼓励社会力量广泛参与，引导支持各类社会团体、公益组织、企业和个人参与“三区三州”教育扶贫工作。2016 年 10 月，云南省制定并实施了《云南省加强教育精准扶贫行动计划》，启动了 2 128 家民营企业对口帮扶 2 066 个贫困村共建为主要形式的“万企帮万村”精准扶贫行动。国家定点挂钩单位由 36 家增加到 64 家，省级定点挂钩单位由 207 家增加到 260 家，全面发动驻滇部队师以上单位和近 2 000 余家省属非公企业以及一些民间机构、社团组织等也相继参与了全省的社会扶贫开发工作。自2016年3月,由新疆维吾尔自治区工商业联合会、扶贫开发办公室组织开展的“千企帮千村”行动全面开展以来,两年时间里,全区民营企业积极参与其中,受帮扶人数达16.933 8万人,参与帮扶企业实施项目1 426个,帮扶5 689人就业,公益帮扶金额6 322.12万元(含公益捐赠),各类帮扶项目投资金额较之前增加10 514.6万元。

(三) 行政区域:全领域结对资助

大力推进教育援藏、援疆、援青等工作,加强援受双方教育部门、各级学校、教师、学生之间的全领域对口帮扶。教育援疆是对口援疆工作的重要组成部分,是“长期建疆”系统工程中的基础性工程。按照中央的决策部署,国家相关部委、19个对口援疆省市和新疆维吾尔自治区积极响应号召,加强顶层设计,科学编制教育援疆规划,切实将援建工作作为重点工作来抓,推动教育项目先行先建,确保教育对口援疆工作取得显著成效。据统计,“十二五”期间,19个省市累计实施教育项目528个,投入资金108.52亿元。

第三节 当前教育扶贫存在的问题

一、事权、财权的分离影响扶贫资金使用效率

贫困县的财政收入来源于财政扶贫资金的定向转移。这类形式的经费存在事权与财权的分离,因此难免引发地方政府公共支出决策扭曲,出现使用低效甚至违规挪用扶贫资金的现象。同时,长期政策照顾带来的财政依赖以及政策退出机制的缺乏也可能使财政扶贫资金成为贫困县的既得利益,降低资金使用效率。

二、现有扶贫模式精确性不高

我国是社会主义国家,党和政府具有强大的政治优势和资源动员能力,这是我国扶贫工作取得成功的关键。研究表明,加大政府投入对于减少贫困效应明显。但现有扶贫模式也存在如下问题和不足:一是运动式扶贫无法解决致贫的多

元因素,扶贫精确性差;二是行政偏好与市场需求不符,造成资源浪费或增产不增收;三是扶贫资源集中在少部分权力手中,出现权力"寻租"导致"扶贫目标偏离与转换";四是政府扶贫既是运动员又是裁判员,难以建立起科学严格的考评体系。上述因素均影响了扶贫资金的使用效率。

三、市场机制培育不成熟,未能有效参与到扶贫进程中

对于早期大规模、集中性贫困,政府角色不可替代,举凡整体搬迁、大规模基础设施投资等扶贫举措离开政府是不可想象的,以致于人们习惯将政府作为扶贫的唯一组织者。我国市场体制从建立到完善有一个过程,市场机制不完善和市场力量的弱小限制了市场作用的发挥。在市场化扶贫实践中,由于缺乏监管和法规的约束,市场力量被滥用、误用的现象时有发生,市场模式被误解甚至谈市场色变。

四、政策、工作措施及工作机制不够精准

在各地推进教育精准扶贫时,一些地方政府在制度设计上缺少协同思维,部门之间形成条块化、细碎化的教育扶贫工作状态。由于现有的教育扶贫设计多从中央到地方,缺乏实施过程中的制度监管,教育扶贫资金的拨付和投入、发放和使用程序的透明程度、公开性不充分,导致地方扶贫主体在落实教育扶贫政策时为追求自身利益出现一些扶贫偏差,如在教育扶贫资源配置受托过程中实施利己主义行为,出现教育扶贫配套资金截流、外溢甚至漏出等情况,使教育扶贫项目成为谋取私利的工具,影响了扶贫政策的真正落地。

五、脱贫内生动力不足降低了开发式扶贫的意义

我国财政扶贫政策主要通过经济增长的"涓滴效应"惠及贫困者。教育扶贫属于典型的开发式扶贫,通过改善贫困地区教育设施和条件,以此改变贫困地区人力资本相对低下的局面。教育扶贫发展政策和资金的实施意在降低贫困发生率,最终达到脱贫的目标。然而,如果没有真正形成脱贫的内在动力,这些政策和

资金便可能养成“等、靠、要”的消极思想和负面心理依赖，致使一些地区出现为了获得政府补助故意返回至贫困线以下的现象，降低了开发式扶贫的意义。

第四节　教育扶贫的历史经验和国外实践

一、扫盲教育的经验

扫盲教育是新中国成立之初国家针对特定群体，动员多方面的社会资源，通过运动化的组织形式使受贫对象获得一定教育资源的社会活动，其性质与当前的教育扶贫类似，从这个意义上可以说扫盲教育是新中国成立后最早的一种教育扶贫运动，其经验值得今天的教育精准扶贫借鉴。

第一，党和国家强有力的领导，把扫盲列为政治任务。1949 年，在政务院教育部召开的第一次全国教育工作会议上，便提出“从 1951 年开始进行全国规模的识字运动”。1950 年，先后下发了《关于开展职工业余教育的指示》《关于开展农民业余教育的指示》，确定扫盲教育的对象和目标。同年，教育部与中华全国总工会共同召开了“第一次全国工农教育会议”，国家高级领导人、中央和地方有关部门负责人参加会议。随后于 1952 年颁布了《关于各地开展“速成识字法”的教学实验工作的通知》。1956 年发布的《关于扫除文盲的决定》明确指出，扫盲教育是一项“刻不容缓的重大政治任务”。特殊的政治地位使扫盲受到全党全国的高度重视，得到最高领导人的亲自指示，并在中央会议上予以指导。

第二，明确各级政府任务，完善行政组织建设。自扫盲运动开始，党和国家就开始逐步建立健全中央到地方的扫盲组织。在 1950 年的全国工农教育会议上，明确工农教育分为工人教育、干部教育和农民教育，由专门部门负责并设立专门学校。1952 年，成立中央扫除文盲工作委员会，并要求各省、地、县建立相应扫盲机构，明确扫盲工作委员会下设办公厅、城市扫盲工作司、农村扫盲工作司、编审司等。1956 年，成立全国扫盲协会，由时任国务院副总理的陈毅同志任会长，协会的主要任务是动员和组织知识分子、社会人士和识字的人参加扫盲工作，协助人民政府进行识字教育的业务指导和师资培训工作。

第三，提高群众参与度，发挥社会团体的力量。扫盲教育是社会性、群众性的工作，要求号召、动员一切社会力量和群众团体参与。1958 年团中央号召推广山东文登经验，要求全国农村团的组织普遍建立青年扫盲队。同年，在全国妇联与全国总工会、共青团中央的座谈会上，号召妇女、工人、共青团员积极投入扫盲运动，为扫盲运动奠定群众基础。此外有众多机构、社会团体和学者积极参与了这一运动，影响广泛的有中华平民教育促进会等。

第四，探索适合的教学，确保扫盲的学以致用。首先，在国家层面上强调扫盲教育必须同国家社会主义工业化和农业合作化运动相结合，扫盲课本编写与扫盲教学必须联系农业合作化运动与群众生活实际。教学内容分为三步，分别为教学本村本乡迫切需要的语词、本县本专区常见事物与词语、本省常见事物和全国性常见事物和语词。其次，形成因地制宜、因人制宜、因时制宜的教学组织形式，探索出适合不同时节的扫盲教学组织形式，冬季农闲开展集中扫盲识字，夏季农忙时节推行“小黑板下地”“挑担识字”“赶牲口识字”等教学形式，进行分散学习。为解决师资缺乏的问题，采取小先生“送字上门”“带字回家”“自学互助”等组织形式，灵活多样的教学方式缓和了农事与扫盲的矛盾。最后，针对扫盲中多数是成人、重视实用性的特点，扫盲教学坚持“速成”与“实用”原则。受教学员毕业后有相应岗位就职，实现脱盲与学员的生活、生产相联系，提高扫盲成效。

第五，加强扫盲的指导和保障，提高实效性。为确保扫盲的规范化和制度化，1951 年政务院颁布《关于改革学制的决定》，将扫盲教育纳入正式学制并建立一套完备的规章制度。为确保扫盲教师的数量和素质，国家采取“以民教民，能者为师”的方针，广开师资来源，并建立一套较为完备的师资培训制度，如定期集训、巡回宣传、集体备课、观摩，同时对优秀的教师进行奖励。针对扫盲教育初期产生的盲目冒进、形式主义等现象，面向扫盲工作者出版《扫盲通讯》，加强组织建设和具体指导。随后出台《关于扫盲标准、扫盲班毕业考试等的暂行办法的通知》，对扫盲工作的指导更加具体化。

改革开放后，国务院《关于扫除文盲的指示》提出“一堵、二扫、三提高”的方针，全国扫除文盲工作协调小组组织各部委成立检查小组，对部分省市的行政村进行检查。到上世纪八十年代，随着农村经济体制改革和运用现代农业科学技术提出的要求，为解决农村教育结构单一、职业教育和成人教育薄弱、教学内容缺乏本地特色等问题，国务院批准原国家教委实施“燎原计划”，并给予每年6 000万的专项贷款，因此在普及义务教育的基础上，扫盲工作得到更大范围和更加健全的实施：发展职业和成人教育，提高劳动者素质；发挥农村学校开展与当地经济建设和社会文化生活相关的教育。

二、美国支持贫困地区教育发展的经验

19世纪末，美国农村工业化和城市化迅猛发展，大量年轻劳动力转移到城市，城乡差距日益扩大。由于农村地区地广人稀、少数民族聚集，传统产业占主导、增长速度慢，政府和社会关注度低、投资不足，导致美国农村教育质量长期低迷，表现为学生的英语熟练度低、学习困难、民族文化差异大、生活学习习惯差、就业岗位简单等方面，农村地区同样面临教师队伍质量差、教育条件和环境差等诸多内外部资源的限制问题。在经济发展不均衡、种族问题等原因的共同作用下产生多种处境不利的学生。联邦和各州政府采取多种措施帮助处境不利的学生获得接受教育的机会，主要经验有：

第一，在教育改革法案中，注重向贫困地区和处境不利的学生倾斜。在美国，教育改革法案的效力远高于政府政策文本，且利于向民众传播和解释。当国家领导人意识到受教育机会对孩子的重要性之后，便以行动或口号的形式提出，最终在法案中体现。如约翰逊任总统时，提出“向贫困宣战”，成为1965年颁布《初等和中等教育法案(ESEA)》的先导，要求确保处境不利学生具有获得优质公共教育的机会。此后，每五年修订一次法案，均坚持扶贫指向的补偿性原则，扩大受益群体范围，为薄弱地区及处境不利学生的教育发展提供法律支持。这期间产生广泛影响的法案有《不让一个孩子掉队法案(NCLB)》(2001)、《每个孩子成功法案(ESSA)》(2015)等。

第二，在教育经费配置时，为处境不利的学生提供财政援助。作为教育公平的核心，美国在进行财政政策分配时既注重教育财政能准确惠及到贫困学生个人，也注重宏观层面的教育财政资源配置。一方面，为使教育财政资金能有效地为处境不利学生所使用，联邦法案(ESEA)提出在财政资源分配时要根据各州低收入家庭孩子的数量将教育经费分配至各州，使每个有低收入家庭孩子的公立学

校都能获得特殊资金，为提高成效，资助金额要求直接与资助学生挂钩，学生在不同学区、学校流动可携带相应资金。另一方面，为平衡贫困地区和富裕地区的教育财政经费，美国确立教育财政分配的充足原则，采取的措施有：一是利用统计分析制定，首先确定可接受的学业成就水平，然后测定相应的教育财政系统，将获得充足教育经费的学区作为原型；二是利用经验观察制定教育，首先确定可接受的教育标准，随后将达成所定教育标准的学区或学校采用的教育财政政策作为财政充足政策的参考依据；三是利用专业评估制度，在构建中融入多种因素，将地方专家咨询与国家层面研究和整体学校设计相结合。

第三，加强农村、贫困学区学校的教师队伍建设。鉴于美国贫困地区学校教师建设主要面临吸引和保留的问题。为此主要采取以下措施：一是农村地区教师的本土培养，美国对农村地区教师以定向培养的方式为主，生源以农村本地学生或有相关经历的学生为主。二是加强培养培训过程管理，2003 年通过《行动起来让所有儿童接受教育》法案，增加财政经费投入，提高管理水平，倡导高校与地方学校及行政机构密切合作，促进大学教育学院与中小学教师共同改善教学，对新任教师给予指导。三是建立激励机制，建立多种激励教师的计划，其中 2016 年较为完善的教师奖励基金最高等级资助包括构建学区教育委员会人力资源管理体系、差异化薪酬体系、嵌入式专业发展(如图 2)。

第四，加强政府与社会协同，为处境不利学生提供综合服务。美国在早期就开始建立贫困学生的帮助计划。以“开端计划”为例，分为两个阶段：第一阶段由联邦政府及州政府为贫困儿童提供免费学前教育；第二阶段设立主管部门和专门办公室，为 3 岁以下处境不利的儿童及其家庭提供服务，如教育、健康、营养以及其他社会服务(父母的咨询辅导、就业指导等)，以提高儿童的社会性发展和认知发展，帮助其做好入学准备。此外，二战后一直实行免费午餐计划，并由专门部门进行管理。

第五，健全监管，逐步加强教育问责力度。联邦政府、州政府加强对贫困地区学校投入的同时，也提高对投入过程和效果的问责力度，问责的重要因素是贫困地区教育质量，学生学业成就是重要指标。在 ESEA 中，要求各学区对低收入学区拨款的有效性进行评估，根据统一的标准化考试和学生成绩来评估学校教学效果，对表现不好的学校提出新的促进计划。1994 年颁布的《提升美国学校(IASA)》

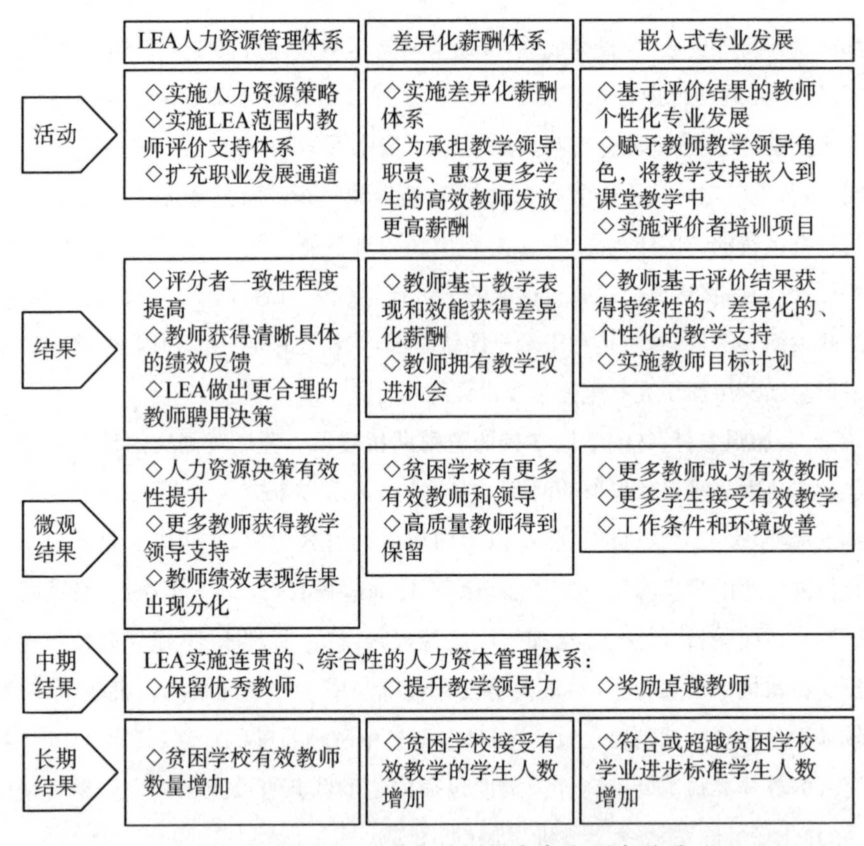

图 2　REIL-Extend 计划核心内容和预期结果

来源：转引自毕妍，雷军，王国明. 论美国贫困学校教师激励策略：论争、改进与省思[J]. 外国教育研究，2017，44(07)：72—84.

法案为包括贫困地区的学生制定了严格的标准，要求对各学校学生的成就进行问责。2001 年 NCLB 法案提出了未来 12 年的发展总目标和“适当年度进步（AYP）”目标，要求到 2014 年全美所有学生的学业成绩都能在州级测试中达到熟练程度，并确定 AYP 目标以评估学校年度绩效进展状况并向总目标靠近，连续三年未达标学校则被定义为薄弱学校，并进行改进。

三、澳大利亚贫困地区教育发展的经验

在澳大利亚，教育发展不均衡的症结有三点，一是农村社区老龄化、服务和雇

佣减少等表明农村处于衰落阶段，教育消费对多数农村家庭来说是巨大的障碍，接受高等教育的农村地区学生越来越少；二是内陆地区经济发展缓慢，影响教育发展；三是因历史和文化传统因素，土著人的教育现状不容乐观，土著学生辍学率高、学业成就低。澳大利亚联邦和州政府均高度重视这一问题，采取多种措施解决上述问题。

第一，联邦法案为教育机会均等提供法律和政策支持。联邦教育法规定："实行 12 年义务教育，学生从 6 岁入学，凡是符合入学年龄的所有孩子(含土著人)的监护人都应该送孩子上学。"针对土著教育存在的突出问题，先后在法案中对土著民族的教育权利予以强调，同时启动多项行动计划，法案为土著民族在教育决策中的参与权、平等参与教育的权利、获得公平合理的教育结果、提供适合其文化的教育服务提供了依据(如表 17 所示)，逐步形成规范、科学的土著民族教育法规政策体系，保证了土著教育行动方向的正确性，规范了行动过程，避免流于形式。

表 17　1985—2000 年保障土著居民受教育权的政策和法案

年份	法案/政策名	主要内容
1985—1987	《土著民族参与计划》	拨专款资助部分土著民族考生进入高校学习。
1989	《土著教育(补充财政援助)法》	为提高土著民族教育及相关目的提供补充性财政资助。目标：(1)提高土著民族在教育决策中的参与度；(2)土著民族平等获得教育的权利；(3)平等参与教育的权利；(4)获得公平合理的教育结果；(5)提供适合其文化的教育服务。
1990	《原住民和托雷斯海峡岛民国家教育政策——21 个国家目标》	土著民族教育的基本国策，在 2000 年实现土著民族教育平等。包括土著教育策略行动项目和直接援助项目。
1998	《高等教育资助法案》	联邦政府设立土著民资助金，资助致力于提高土著人高等教育入学率和各种成功机会的活动，如 50%用于提高参与率，15%用于促进学业进步，15%用于奖学金。
1999	《21 世纪澳大利亚学校教育国家目标》	学校应体现社会公平。原住民和托雷斯海峡岛民学生拥有平等的获得学校教育以及享有平等的教育过程的机会，提升他们的学习结果并逐渐赶上其他学生；所有的学生能够获得所需的高质量的教育。

续　表

年份	法案/政策名	主要内容
2000	《国家土著民族英语识字和算术能力发展战略》	确保土著学生达到与其他澳大利亚学生相当的识字和算术能力：(1)提高土著学生入学率至国家水平；(2)解决影响大量土著学生学习的听力及其他健康问题；(3)尽可能提供学前教育机会等。
2000	《土著教育(目标援助)法》	为土著教育策略行动项目分配资金。
2000	《原住民和托雷斯海峡岛民职业教育和培训国家策略实施蓝图：学习型文化中的伙伴(2000—2005)》	愿景：改善土著民族学生的学习经历，为土著学生提供文化适宜的职业教育和培训，为帮助土著民族实现就业和终身学习，提高土著民族的教育、培训和就业结果创造一个更负责任的制度。

第二，建立需求本位的教育经费分配模式。澳大利亚形成以学生需求为依据的经费计算方式，旨在使教育不利、身心残疾、偏远地区的学生能获得充足的教育经费，取得最佳教育效果，并以法案的形式详细规定经费分配方式，每所学校除基础性经费外，根据学校学生的不同情况(如残疾、低收入、少数民族、所处区域和规模等)确定不同计算方案，为学校低社会经济地位学生拨款经费专门制定公式。同时，设立贫困地区学校专项计划。澳大利亚设立"处境不利乡村地区项目"，政府加大对该项目的经费投入，各州出台一系列发展贫困地区教育的政策，如新南威尔士的"优先学校项目"，为贫困地区学校提供资金、技术、资源等支持，资金由州政府给予基本保障，并动员各种社会力量筹集资金支持贫困地区的教育发展。专项计划为贫困地区教师的薪资提升、交通费用、专业培训提供了资金支持。

第三，实施"为澳大利亚而教"项目解决教师队伍问题。为解决内陆等薄弱乡村地区教师流失的问题，澳大利亚从原先提升乡村教师待遇、纳入城市主导的教师教育和教师发展框架，转为从乡村教师工作生活状况出发，减少乡村学校教师的流失。为促使教师个体属性与乡村学校环境属性的匹配，澳大利亚政府采取以下方式：1. 以专项支持弥补社会文化与地理环境的不足，如通过岗位补助、交通补助、住宿补助的方式提升薪酬待遇；设置乡村教学工龄津贴，依据教师在乡村服务时间的期限长短发放奖励津贴；设立休假，满足乡村教师与亲友见面的诉求；为长期在乡村工作的教师子女给予升学照顾。2. 以教师共同体消除孤立感，地方教育委员会推动校内教师相互支持和帮助，例如在入职培训时专门安排4—6周用于新任教师相互交流，促进教学能力提高，2010年启动“为澳大利亚而教”教育改革项目，乡村学校为新人教师分配教学经验丰富的教师作为导师，制定新入职教师指导计划。3. 开展基于地方特有的人文自然环境的教学实践，例如为乡村教师提供多种专业学习机会，加强信息技术培训，开设专门的复式教学培训课程，并将教师培训拓展为全人发展，包括领导力训练、职业规划定向指导、职业回溯和反思、自我目标实现等。

第四，制定行动计划，确保经费执行有效。《澳大利亚教育法案》规定，获得经费资助的主管部门要制定行动计划。州政府在获取贫困地区教育拨款的同时，需要制定包含达到目标的活动、项目、操作的行动计划，设定时间表和路线图，为监督和评价活动提供依据。主管部门依据行动计划开展行动，根据具体情况作出调整和改进。

第五节　教育精准扶贫脱贫的对策建议

为深入领会贯彻习近平总书记关于教育精准扶贫开发战略思想、更好服务于新时代中国教育精准扶贫与精准脱贫工作，仍需对教育扶贫脱贫的若干问题作进一步讨论。

一、完善教育扶贫体制机制，提升政府统筹教育扶贫水平

扶贫从本质上可视作国家的政策帮扶和救助。当前教育扶贫体制主要包括：一是，党的领导和政府主导、党政“一把手”负总责的脱贫攻坚领导体制；二是，中央到地方合力攻坚、分级负责的脱贫攻坚管理体制；三是，政府主导、社会广泛参与。教育扶贫与精准脱贫工作机制主要关系到扶贫主体如何落实教育扶贫举措以精准地实现扶贫对象脱贫的一整套工作机制。完善的教育扶贫体制机制对提

升政府统筹推进教育扶贫水平具有重大意义。然而,从一些地区教育扶贫的实际调研工作来看,仍存在诸如对教育扶贫工作定位不清、认识不到位,对贫困地区的教育扶贫开发工作路径缺乏科学规划等问题。

为此建议:一是,中央政府仍需进一步研究教育扶贫政策的差别化与统一化问题,既要考虑到全国各贫困地区人民群众扶贫脱贫的实际,又要制定统一的扶贫政策,设定相应的政策托底标准;二是,加强地方扶贫干部队伍的建设,特别是加强扶贫骨干的教育培训,提升对教育扶贫工作的政治意识和统筹应对复杂教育扶贫工作的管理能力;三是,地方政府要结合本地民情以及地方经济发展水平,制定出有步骤、分阶段、差别化的扶贫脱贫行动纲领和具体实施路径;四是,地方政府要充分动员社会民众积极参与,加强政策宣讲与经验总结、树立典型,塑造良好的社会氛围,变扶贫、扶智为立志、求富、求学。

二、吸引稳住一批优秀教师,加强连片贫困地区教师队伍建设

"脱贫靠人才",但现有调查显示,贫困地区教师待遇偏低、教师职业吸引力不足、结构性缺编、师资短缺、教师队伍流失等现象普遍存在。贫困地区脱贫固然需要建设一支有理想、有志向、甘于扎根贫困地区的教师队伍,更需要采取切实措施,保障教师在待遇、晋升、退休等方面的权益,这是精准扶贫成败的关键。

为此,有必要对教育扶贫地区教师实行差别化优待的管理举措。一方面在教师的待遇、职称评比中予以倾斜照顾,可借鉴国际标准,保障终身从教于艰苦地区教育工作者的薪资待遇,同比全国其他一般地区教师,前者的待遇水平应为后者的2—3倍。另一方面,在推行教师荣誉、退休等方面也应给予这部分教师更多的政策支持,如建立健全党和国家教师功勋荣誉表彰制度,加大中央等官方媒体对贫困地区教师先进事迹的宣传报道,特别是要严格落实《乡村教师支持计划(2015—2020年)》、《中共中央国务院关于全面深化新时代教师队伍建设改革的意见》等政策要求,大幅提高贫困地区教师的生活待遇,让长期在贫困地区从教的教师有更多的获得感、幸福感和满足感。

三、用学校作为扶贫抓手，切实服务地方经济社会发展

某种程度而言，教育扶贫的问题是要回应教育如何服务落后地区的经济发展、谋求个人生存与发展状况的改善。将学校作为教育扶贫的政策抓手，采取不同推进策略，探索学前教育的普及化发展、义务教育的全面化发展、高中教育的多元化发展、高等教育的深度化发展、职业教育的优质化发展、地方普通本科高校应用型特色化发展、继续教育的终身化发展，以及特殊教育的标准化发展，全方位提升贫困地区的教育发展水平，为阻断贫困代际传递奠定坚实的基础。

此外，包括对经费、人员、物资等在内的教育扶贫资源配置中，需要引导落后地区的普通本科、专科高校服务区域发展与扶贫攻坚的特色专业群建设相结合，如精准设置专业群、提升专业群服务本区域经济社会发展的能力等。充分认识民族地区发展职业教育的战略地位和作用，积极探寻职业教育精准扶贫新模式。

四、切实加强教育扶贫专项督查，适时引入教育扶贫问责机制

在当前的教育扶贫中，大量资源仍处于“大水漫灌”式粗放型供给模式，缺乏精细化管理，存在扶贫资源的浪费和教育扶贫低效无序。建立面向教育精准扶贫和脱贫攻坚的扶贫资金管理机制以及教育精准扶贫工作成效考核机制，是教育扶贫工作迫在眉睫的重大课题。为此，需要切实加强教育扶贫专项督查，以提高教育扶贫资金的使用绩效。由于教育扶贫本身具有审计对象过于分散、扶贫效果短期不明显等特点，这就要求在开展审计和专项督导工作时，不光要注重收支合规合法性的审计，还要注重对资金的绩效审计，将定性指标与定量指标相结合，并且考虑内控制度方面的因素，充分发挥审计的监督促进作用，督促贫困地区教育事业长久健康发展下去。特别是在专项资金审计过程中，加大对教育扶贫领域的资源浪费和贪腐渎职行为的惩罚力度。同时建议，在加强督查基础上引入“扶贫问责机制”，对扶贫中出现的各种主观不良、客观影响或成效不佳的行政举措的责任者进行问责，使之成为新时代教育精准扶贫的一项重要内容。

从教育扶贫到教育精准扶贫再到精准脱贫，仍任重而道远。从扶贫到立志、求学、求富，仍需创设必要的社会文化环境，可以借助贫困地区的平均受教育年限、平均收入水平、农村劳动力人口转移等数据的动态观测，作为落后地区教育扶贫的标志性成果，建立综合扶贫绩效监测点和关键突破点，寻求教育扶贫政策的重大突破。

第七章

国际视野：探寻全球教育变革中教育政策之方向

在全球化面临新的机遇和挑战之际，教育政策在全球教育治理体系中发挥的作用日益凸显。在全球化推动下，世界各国必须加深与国际研究同行的交流，学习不同政治文化背景下的教育政策经验，保持自身特色、发挥各自优势、解决存在问题，方能促进自身发展。

在这一背景下，华东师范大学国家教育宏观政策研究院举办的“教育政策：中国经验与世界趋势”国际论坛于 2018 年 9 月 21—22 日在华东师大举行，全球近 20 个国家的 500 多位专家及观众与会。来自华东师范大学、北京大学、香港大学，英国牛津大学、伦敦大学，日本东京大学、筑波大学，新加坡南洋理工大学，美国雪城大学、纽约州立大学奥尔巴尼分校，加拿大西安大略大学及约克大学等世界知名高校的教育政策研究者出席论坛并发表演讲。与会学者就当今全球教育发展面临的困境、中国教育政策的内省性思考等议题交流研讨，共同探寻求解之策。本次论坛是在“全国教育大会”后，国内外教育学界汇聚共识的一次国际化、专业化的高水平学术盛会，对传播世界教育学界智慧，分享中国教育改革经验起到积极的推动作用。

本章分别以全球教育发展面临的变革、中国教育改革进展与经验、世界教育趋势与前瞻为逻辑索引，展现整体背景，提炼中国经验，研判发展趋势，对嘉宾的主要论点进行梳理并形成综述，以期为决策参考服务。

第一节　当今全球教育发展面临的变革

一、教育普及——数量之外的困境

联合国教科文组织发布的《全民教育全球监测报告》表明，全球仍有2.5亿儿童尚未学习基础知识。而在本次论坛中，纽约州立大学奥尔巴尼分校教育学院教授亚伦·贝纳沃特(Aaron Benavot)在其主旨发言《提供公平和高质量教育的全球趋势：成就和挑战》中指出，全球初等教育普及目标远未达成，全球至今仍有6 300万儿童出于各种原因无法接受初等教育。一方面，世界仍存在10%的适龄儿童不能完成初等教育；另一方面，对于已经进入学校的儿童而言，如何保证他们的学习周期、学校教育质量，以及持续的有效援助，仍受到世界各国的普遍关注。二战后，全球在义务教育普及方面的成果是急剧上升的小学入学率。然而，按照2000—2014年UNESCO的数据来看，“越到中学阶段，失学人数越多”的情况在这十几年内并未得到改善。对数据进行比较可以看出，在OECD国家中，几乎所有的7岁孩子都在上学，超过70%的17岁青少年在中学上学；而在次撒哈拉地区，只有40%的7岁孩子在上学，11岁的孩子中每4个中就有1个从来没有上过学，同时，在17岁青少年中，30%的在中学阶段就学，但这一年龄段的青少年有20%的人仍然在小学上学。相比经济上最富裕的20%学生，在次撒哈拉地区、南亚西亚地区和拉丁美洲加勒比海地区，经济上最贫困的20%学生的辍学几率要高出很多。因而，对教育机会普及的追求不再停留在单纯的数量增长之上，而更多关注有质量的教育能否提供给不同社会阶层的人群。

就教育质量而言，西安大略大学教育学院教授李军在《全球视野下的中国教师新政：来自加拿大的个案反思》的主旨发言中分享了世界银行的教育政策文件，认为这一文件呼应了一般所观察到来自学习危机的结论。世界银行对发展中国家学生学习的成效非常不满意，用了三个字母“LHS”(Low Levels, High Inequality, Slow Progress)——低标准、高不平等、进展缓慢，来概括当前发展中国家学生学习的成果。他认为，学生学习成就不尽人意，并非学校不好，而是学校未达到应有的期待，造成学生学业的失败，即未能给学生提供高质量的教育。

2000 年在塞内加尔的达喀尔举行的世界教育论坛形成了《达喀尔纲领》这一行动文件，其中提及“确保在 2015 年以前所有的儿童，尤其是女童、各方面条件较差的儿童和少数民族儿童都能接受和完成免费且高质量的义务初等教育”。在这之后，对教育质量的提倡愈发进入主流视野。贝纳沃特教授指出，这一目标显然未能实现，并且在后 2015 时代提出的 2030 年要实现这一目标目前看来也已经不可能，按照现有数据，可能要到 2084 年才能实现。其中的关键在于每个单一地区内部的教育机会不均衡这一问题，这成为整个全球教育界关注的重点，也是下一阶段相应政策应当纳入考虑范围的问题。

二、教师队伍建设——学习成效的关键

教师队伍建设是世界性难题。美国以及世界许多国家普遍存在教师地位不高、教师的专业工作不被理解和认可、教师工作难以被有效评估等问题。在这次论坛上，来自不同地区的发言人对本地的教师队伍建设问题做了一定分享。美国雪城大学教育学院院长乔安娜・O・玛辛伊拉(Joanna O. Masingila)教授在其主旨发言《教师专业标准：扮演什么角色？发挥什么作用？》中分享了美国教师资质的相关经验。她指出，美国在 20 世纪早期，逐渐放弃了高等教育师范院校系统，近年来美国一些州也存在较为严重的师资短缺问题。美国 1946 年成立全美教师职业标准管理委员会，主要目标是将教学状况提升到专业水平。该委员会基于五项核心论点来制定标准提高教学质量：第一，教师对学生及其学习的保证；第二，教师了解自己所教授学科并指导如何教授学生这些学科；第三，教师有责任对学生的学习进行掌控和管理；第四，教师对他们的实践有系统化的思考并且从经验中学习；第五，教师是知识学习共同体中的一员。然而，由该委员会颁布的相关标准证书也是自愿获取的，目前全美只有 3%的人获得了这一证书，这些已经获得该证书的教师对学生的影响力也极有限。同时，美国各界对教师标准的制定、使用，以及支持教师专业的持续改进仍有较大争论。

日本筑波大学人间系教育学域副主任滨田博文教授在题为《日本教育治理改革中教师面临的困境》的主旨发言中指出，当今日本社会的治理体系处于由单一

政府主导向政府和民间力量协同治理变革的过程中，家长无理的需求以及媒体对教师行业的苛责都让教师的地位有所降低。他认为教师职业在日本的发展应当参照医疗行业专业从业人员的相关标准体系，为教师发展提出标准，政府制定标准并推动教师培训，地方政府和培育教师的大学都应该参与其中。不同于医务工作者直接将学习到的专业知识运用于实践，教学本身就是实践的学科，所以教师培训要更加注重教学经验带来的知识积累和技能提升。而教育研究也应该更多服务于教育实践，两个系统应当更多地互通有无。由此他总结出多方参与的公共领域对完善标准的重要性，应当建立融合研究者、教学从业者及教师发展机构的机制，形成更有效的教员养成指标。

李军教授的发言分享了加拿大安大略省教师协会对教师教育起到的作用，认为其价值和工作方式都相当值得借鉴，其首要价值是对公众负责，任务是管理在安大略省的所有教师行业人员。协会有八大价值观，包括保护公众利益、质量、卓越、专业化、忠诚、正直、包容性和对多元化的尊重。协会的核心任务是对想要从事教师职业的人检视其教师资格。如合格，则颁发教师从教许可，如同营业执照。协会提出五个专业标准：对学生和学生学习的承诺、专业知识、专业实践、学习共同体的领导作用、持续性的专业学习。其伦理标准包括四个方面：关爱、尊重、信任以及正直。从专业化管理角度来看，有四个方面的核心内容：教师的专业化、公众问责、管理的有效性以及整体体制的可持续性。而他认为最重要的是，安大略省的教师管理是从行政权威管理转向专业化的行业自行管理。其终极目标和标准是公众的利益，其次是教师的质量。相关教师管理政策很值得借鉴参考，但需要结合本国的实际情形，将教师管理内化为本土的行动。

来自新加坡南洋理工大学国立教育学院的 David Wei Loong Hung 教授在《促进学校和课堂教学改革的教育信息技术政策：一个制度变迁的模型》的主旨发言中分享了新加坡的情况。他从信息通讯技术在教育实践中的运用出发，观察新加坡相关政策的变迁，介绍了其教学实践计划，和新加坡以课程哲学为依托，以理解学科及其目标、理解学生、理解教学为目标的总体教学法实践结构。认为教师对学生学习能力信任这一认知转变，是其职业道路可持续发展的核心。他也提出，每个层面都可进一步分成宏观、中观和微观三个层面，而中观层面的领导者总是最重要的，可以确定整体生态环境的气氛。在具体的教学环境中，教师就是这样的中坚领导者，起到至关重要的作用，而提升教师的自主空间能有效提升整体的教学质量，这是需要政策推动的。

如麦肯锡报告所指出的那样，提高学生成就关乎三件大事：一是让合适的人成为教师；二是教师成为有效的教学者；三是确保处于教学系统的教师能够为每个孩子提供最好的教学。这三件大事直接关系到教师队伍建设的成败，更影响着学习的具体成效。

三、新科技发展——社会的动态流变

新兴科技的发展为教育活动发生的时间、空间以及发展形态带来了不确定性。一方面，新科技的发展特别是人工智能、脑科学、大数据等科学技术的发展，对世界各国传统学校教育带来极大挑战。传统的学历教育、专业设置、人才培养难以符合快速发展变化的社会需要。另一方面，现代科技的发展为教育革新与进步提供了新的认知工具和方法论。宏观上看，伦敦大学教育学院副院长诺贝特·帕克勒(Norbert Pachler)教授在其主旨发言《对技术支持学习进行有用性与可持续性研究的设计原则》中提到，在一个不断流变的世界里，对教育的研究方法也需要革新和重新定义，世界充满了不稳定、暂时性、破碎感以及个体化的相互交融，在这种环境下看教育的目标，必须同时考虑教学法和学习设计、web2.0和学校文化以及教师个体发展和研究，这三者相互之间存在张力，但相互碰撞也充满了新的机遇。他指出，这一流变的社会便是目前教育学研究方法的元叙事——即这是大家都要接受的现实和当今社会做教育研究的起点和发展方向。新媒体带来的“用户时代”已经来临，学习变得由学习者来策动并融入到日常生活中，方式变为实际的、有情境的互动，学习者通过并且为了身份形成、社会互动、赋予意义、娱乐和在非正式情境中学习去创造属于自己的学习技术。通过移动设备进行的学习有其独特的社会文化生态系统，从而形成全新的习惯。这一新的技术时代的来临已然势不可挡。

除了研究的方法论之外，变动社会中的学习也被重新定义。香港大学荣休教授程介明在其主旨发言《全球性之挑战与教育政策之贫乏》中指出，毕业以后就一份工作板凳坐穿的日子已经是过去式了。社会变革带来生涯路径的变革，并且以一种加速度持续变化。他分享道，许多内地创业公司的创始人都年轻并且做着和自己所学专业毫无关系的行业，而与此同时从香港大学毕业生的专业及其工作领域的配适度可以看出，只有医学生有高达99%的一致，法律毕业生在80%—85%之间，工程类毕业生在65%左右，而基础文科及社会科学则出现了基本不匹配的情况。从英国帝国理工学院的工程类学生想成为工程师的意愿也可以看出，随着年级的递增，这种意愿随之递减。2016年澳大利亚开展一个调查，一个人一生平均会换15份工作，十年前英国的数据是一个人一生会换13份工作，美国劳工部的数据是换10.6份工作。所以就业中专业不对口的情况已经成为常态，换工作、换职业，自我就业、自我创业或者干脆不工作，以及新的职业在不断产生。我们已经不可逆地进入了易变的、不确定的、复杂的及模糊的社会（Volatile，Uncertain，Complex，Ambiguous，VUCA）。以比较的横向视角可以看出世界的现实即是多样性。

而以人的一生作为看待这一问题的纵线，东京大学教育学研究科终身学习研究室主任牧野笃教授做了题为《学习：改造“个体”为“关系态”的运动——日本人生100年时代里“学习”概念的刷新》的主旨发言，其中同样提到过去社会与现在社会的根本区别。他认为，过去是以欲求为主的社会，欲求的来源是物质。人们基本上都是工业社会的成员，工业社会人才观的特点是：互相取代可行性。在这种社会里面，人们成为互相可取代的存在，担保他们存在的根基是归属感，而归属感的根基是社会制度的平等。可以说每个人归属的对象就是国家，这是经济发展的基本单位，也是庞大的统一市场。而当今已经进入了社会价值观念多样化和人群绑带被切断的社会。社会结构从凝聚到分散，并面临着全世界各个国家尚未开始面临的结构性问题：一是，人口减少、少子化、高龄化；二是，整个社会价值观念的结构性转变，即分散化、多样化和多元化；三是，从以往自上而下解决问题论的角度来看，新的价值观念体系没有建立起来；四是，以往的社会是以男性为主，劳动力和消费者为主的社会，今后社会里非主流的人们可能将成为主流；五是，以前的社会是物质价值为主的社会，今后的社会则可能是非物质价值生产和流通的社会。这些变动在过去人们的眼中都是无法预见的，同样，尽管目前我们对未来可以有所预测，但也要对不可预见性心存准备。

在微观层面，华东师范大学高等教育研究所所长阎光才教授在其主旨发言

《人格、能力、大学教育及其危机》中也提到了技术变革在学生身上凸显出的变化。他提出在目前的信息化时代，学生已经发生非常大的变化，如何理解大学教学与教学质量问题需要大家思考。从九十年代的因特网时代，到目前的手机端时代和人工智能时代，也许将来在课堂中，可能会有很多知识性的、逻辑型的内容，老师并不一定能够讲得过机器。他分享了一个研究成果带来的思考，有韩国科学家做过关于脑科学的研究，认为电子产品对人的大脑刺激回路有非常大的影响，进而他思考是否可以推断，现在学生的大脑结构跟以前的学生可能存在一定不同。同时，如果这个环境已经带来了学习者的变化，对于教育者和政策制定者来说该如何理解大学课程和教学，以及如何应对变化是值得进一步深思的问题。

具体到教育政策，香港大学教育学院教授白杰瑞(Gerard A. Postiglione)在题为《技术和经济变革下粤港澳大湾区的高等教育政策和治理》的主旨发言中提到，技术和经济会进一步在现有的基础上打破界限，人与人之间的链接成本越来越低。因特网的用户在2025年将达到47亿人，比现在多出20—30亿；同时，全球有2.3亿多知识工作者，这些都给地区发展带来无穷的机遇。另一方面也带动了地区向知识型社会转型。这对政策制定是一大挑战，其中包括人工智能带来的伦理问题，需要人文素养与技术的结合；与地区发展相匹配的教育在现阶段还有所缺失，需要地区内协同发展；发展不均衡带来的阶层流动机会收紧，需要多样化的社会评价体系；学生的通用技能有所缺失，需要不同地区间学校的通力合作及更均衡的发展规划。这些政策的方向都必须基于对现实的、变动社会的深刻理解。

程介明教授和白杰瑞教授均指出，新科技对人的内在需求、职业发展以及国家(地区)的发展带来了诸多不确定性。这凸显了教育政策的贫乏，以及从技术和经济变革视野下重新审视教育政策制定和教育治理的迫切需求。

第二节　中国教育改革进展与经验

一、教育普及的中国举措

在高等教育方面，约克大学教授查强在其主旨发言《21世纪博雅教育应如何发展：基于中国与其他国家大学的探索研究》中关注到了中国高等教育大众化的现实，展示的相关数据统计显示，目前高中毕业生考上大学的比例已经接近80%了，而类似上海这样的地区可能会更高。这是政策驱动带来的重要成果。

而在基础教育方面，华东师范大学袁振国教授指出中国教育改革发展最重要的经验是强制实行义务教育，并且逐渐延长义务教育年限。40年前中国受教育人口只有60%，有3亿人是文盲。1986年颁布《中华人民共和国义务教育法》后，中国用30年时间走完了发达国家100年走完的历程。当前中国正在强力推行义务教育阶段优质均衡政策，力求在资源、经费、校舍、师资等方面的建设上，使所有学校都能达到较为优质的水准。虽然这对于中国这样的人口大国绝非易事，但中国采取了强有力的推进措施，明确了义务教育优质均衡标准，并有计划地对全国2 800多个县逐一开展义务教育优质均衡发展评估。目前超过30%的地方已经达到了县域内义务教育均衡发展水平；中国政府希望在2020年，85%的县域能够达到义务教育均衡发展的目标。强力推行义务教育阶段优质均衡，对短时间解决我国数以亿计的人口实现“有学上、上好学”起到了重大的政策保障作用。

袁振国教授将教育普及在数量以及质量上面临的困境总结为“不在校，不在学”。袁振国指出，OECD国家和次撒哈拉地区国家教育发展水平差异甚大，让所有人能上学是全球教育核心关切的问题。而同为第三世界国家，中国在这一方面取得的成绩令世界瞩目。那么，究竟是什么力量使得中国政府数十载顶住国内外复杂的政治经济发展形势，取得中国教育改革的超常规发展呢？袁振国此前的研究揭示了改革开放40年中国教育改革发展成就的最大秘密：即国家优先发展教育、教育优先满足国家发展需要的“双优先”模式。2017年9月，中共中央办公厅、国务院办公厅印发的《关于深化教育体制机制改革的意见》，全面系统地阐发了教育优先满足国家发展需要的要求，刚刚召开的全国教育大会再次重申了教育工作的根本任务是培养社会主义建设者和接班人。

二、师范教育的中国体系

中国师范教育如果从1897年南洋公学师范馆算起，至今已逾120年的历史。当代中国教育发展的百年历史巨变中，中国师范教育发挥了巨大作用，特别是对中国教师队伍的培养发挥至关重要的作用。加拿大西安大略大学教育学院李军教授指出，中国的师范教育体系是包括了教师培养在内的一种综合性大学模式，中国通过高等教育对世界一流地位的追求、优化教师教育体系以及院校变革带来了教育系统性的改革。中国通过师范大学与综合大学的互补提供教师的专业教育，展现出一种实用的政策模式，这对人口众多的中国在短时期迅速培养起数以千万计的各级各类教育的教师起着重要作用。从历史的角度看，中国师范大学的培养教师体系历来是开放式的。从1897年至今，分成不同的历史时期，从中可以看出中国都在学习借鉴世界先进国家的教师体制。对于在教师质量与数量方面都有强烈需求的国家而言，中国的师范教育体系经验弥足珍贵。李军教授同时指出，中国师范教育体系的成功有赖于强而有力的国家调控能力，很多国家如美国、印度和肯尼亚并没有这种传统。

雪城大学的玛辛伊拉教授也在分享美国教师标准设立制度的同时对比了中国的教师培育体系，她认为中国教师的听课制度、教研组制度、教师资格获取及职业晋升制度等方面都相当严格。数据显示，中国只有0.1%的教师获得特级教师的称号，中国社会对教师职业的尊重为教师所带来的社会地位，以及教师职业终身学习的相关理念也值得学习和关注，对相关的政策制定具有重要借鉴意义。

三、坚守特色的中国优势

中国特色社会主义的道路自信、理论自信、制度自信、文化自信已经不仅仅停留在口号层面，也并非单方面的认同，而是受到了国际社会一定认可的价值。在变动的社会中，需要对“追随”有一定的警惕，对“特色”有一定的坚守。在论坛的相关发言中也能看到学者在中国教育政策方面掌握住自身研究的话语权。在制度层面，北京大学教育学院党委书记阎凤桥教授在其主旨发言《制度的模糊性和非正式关系的作用》中介绍了中国大学党政双轨的领导模式，探讨政治性组织如何履行学术使命，同时学术性组织如何履行政治使命，两种使命如何协调运行的。他认为中国大学和国外大学一样都是集体领导。不同之处在于团体构成是不一样的，美国的董事会主要由外部人员组成，英国的评议会内部人员占较大比例。在中国体制之下，是政党的成员，党委的常委。他从公共行政的学理角度探讨在中国体制之下的行动空间，从而分析造成行为多样性的原因。总结出行动的空间产生的第一个因素是制度的约束和正式规则，即组织必须遵循外部的规则；第二个因素是传统，即处理事情惯常的做法；第三个因素是人际关系纽带，它可以创造出沟通的环境，形成指挥和相互支持的机会，建立对正式组织运行都有关键作用的非正式组织的基础。而追求内部和谐是这个组织的特性，进而对比运用格兰诺维特(Granovetter)的相关研究形成观点：组织内部的非正式结构可能会取代正式机构，成为真正发挥作用的机制所在。从而指出，西方有学术自由和大学自治的传统，中西方在这方面的表现形式是不一样，知识分子的自由和大学的自律等等在中国的语境下都是很有意义的探讨，值得中外研究者拓展思路，不从多元角度看待中国高等教育的治理。

而在文化层面，约克大学查强教授在谈到博雅教育在中国如何普及的问题时也提到，博雅教育应当包含的重要要素如批判思维能力、自我改善能力，都是人文主义性质的中国大学得天独厚的传统。他指出，儒家传统非常强调修身，强调知行合一，强调把知识应用社会的改造。这个传统是中国高等教育的极大优势。同时从儒家传统的角度来看，事实上对教育公平、教育平等有很多原始的想法。比如，有教无类，提倡的“任何人可以接受教育”。因材施教提倡教育平等，是根据不同人的需要进行能力提高。这些思想与博雅教育的结合将对社会有很大的贡献。因此博雅教育需要坚持的根基之一，也是植根于特定文化的人文传统。

第三节　贯通中外的教育趋势与前瞻

一、以人才培养质量为根本提升教育水平

论及高等教育应该培养什么样的人才，华东师范大学阎光才教授在其主旨演讲中以大学生逃课现象作为切入点，分析了当前中国大学生逃课的程度以及逃课和学生职业发展之间的关系，对如何理解大学生逃课，逃课程度如何，逃课和学生发展之间是什么关系进行了思考，认为这些思考决定了未来社会需要什么样的人才，并确定了人才培养的方向。他指出今天的时代，社会越来越具有不确定性，越

来越强调个人的自主行为，需要更多冒风险而不是顺从的人格特质，据此，我们该如何来看待高等教育是重要的问题，即核心素养和能力之间的矛盾；智能时代的到来，教师不再是知识的唯一来源者，隐形逃课"在校不在学"现象会越来越突出。而如今社会特别强调创业，创新主要强调思想与技术理论，创业更强调的是行动。在今天的时代，至少从中国大学生的角度来讲，可能欠缺的是行动，行动恰恰跟人格有关系。阎教授的调查中体现出"学而优是为了求稳"的现实问题，很值得对整个教育文化、教育体制作全面的反思。这一调查也涉及高校的能力供给与学生的职业发展究竟应该是什么样的关系。

同样的，西安大略大学的李军教授也分享了一项包括全国性调查问卷的研究，该调查主要搜集大型企业管理层对高校毕业生素质所持的态度。其中提及毕业生应该具备哪些素质，有三个主要的维度：一是智力和实践技能，包括口头表达等能力；二是批判性思维；三是个人和社会责任。而毕业生在这些素质方面的表现并不令人满意。他批评指出，有学者认为受经济人理性驱使，中国大学在培养精致利己主义者；而如果高等教育只是培养精致利己主义者，对国家和人类的前途而言，难免令人堪忧。

以人的发展作为更广阔的视角，香港大学的程介明教授也提出了以人为中心的人才培养模式。他认为尽管从经济理性的角度看待教育的观点在学界已经过时了，但培养能进入职场的人才仍然是很多国家的基本教育战略，然而事实上未来生活不仅仅只有职场，人的家庭生活、文化生活、闲暇生活、政治生活、精神生活、情感生活都同样重要。他批评指出，教育政策目前对这个问题并不关切，且仍然在用生产商品的方式生产学生，培养他们拥有某些技能。但实际上每个人的未来都是多变而且不可预测的，这也是教育政策应该关注的现实。当今这个世界并不是和平的，气候变化、各种事故——包括人为的事故、疾病、金融危机、战争、丑闻、腐败等问题在未来二三十年也不会消失。因此，教育政策的制定不应该只是从经济和人力资源的角度，而是更加以人为本，要帮助年轻人学会学习，使其能够在未来充满风险、困难和障碍的环境中工作。他认为，是时候让教育经历变革了，因为其中心始终是人。

具体到做法，约克大学查强教授提到推广博雅教育的重要性，特别是在中国这样的土地上，据清华大学课题组研究结论，中国今天的大学生群体中，71%到

73%是第一代大学生，他们在社会资本和文化资本方面极度匮乏，而博雅教育的普及将有助于让更多处于经济社会地位不利的学生可以接触到更优质的博雅教育。查强引用美国大学学院联合会对博雅教育的定义，介绍这种学习形式可以赋力或者赋权个人应对复杂的、多元的、变化的世界，可以给学生提供关于广阔世界的宽泛知识，同时也提供特定兴趣领域比较深刻的知识，以此帮助学生发展社会责任感。另外还有一种很强大的可以转移知识和实践的技能，包括沟通、分析、解决问题及把知识和技能直接应用于现实的能力。查强认为这和德国教育哲学中Bildung（教化）的理念很类似，这一理念认为个人的精神和文化的感觉，包括生活中的个人、社会技能，是一个不断提升和发展的过程。这个过程发展了个人的才能和能力，从而促进社会的进步。这一理念要求人们不是简单地接受社会政治现状，而是要发展一种能力，用一种批判的观点看待社会政治的现状，最终来挑战这样的现状实现自我发展。而查强由此发展而来倡导的博雅教育，是一种社会驱动的而非静态的观念，从而提出了在中国发展博雅教育应以文化传统为根基和全球问题意识的方向，希望学生在博雅教育中"学会做人""学会学习""学会生存"以应对未来的世界。

二、以学习为核心概念推动教育理念革新

华东师范大学袁振国教授在总结时提到，每位嘉宾都从不同的角度给予学习以重要的定义，让与会者强烈感受到现在这个世界已经从"教育世界"走向了"学习世界"。香港大学的程介明教授也表示教育的终极目标是让年轻人对未来有所准备，而教育核心是学习。未来的教育政策应该进一步体现这一理念上的革新。

从整体理念上看，如东京大学牧野笃教授所述，在迎接新社会的过程中，人们需要对"学习"和"教育"概念进行刷新。旧概念里"教育"是知识和文化的传授、传播，教育者和受教育者是分开的。新的概念里面，不分教育者和受教育者，而应该是共同探索知识，共同创造价值。"学习"概念也是同样的，旧概念里，学习是知识和文化的储蓄和运用。新概念里，学习是共同创造知识和价值，变成一个生生不息的过程。以往的社会里面教育是自上而下的传播体系，现代到未来的教育是老师和学生是共同探索新价值和新知识的过程。他认为，旧概念的教育和学习是静

态的结构,新概念的教育和学习是动态的运动。

具体到制度和政策的设计,西安大略大学的李军教授关注到了制度带来的可能的学业失败问题。他通过检视发现了学业失败的问题原因,一是教师常常缺少有效的教育技能、工作热情和动力;二是政府财政投入常常不能到位,影响教育产出;三是落后的管理模式。他认为有时整个学校管理体制,包括顶层设计、公共财政投入都存在问题,是制度让学校失败了。这其中是否以学习为一个中心点来进行制度设计至关重要。而新加坡南洋理工大学的 David Hung 教授通过分享新加坡利用信息通讯技术在教育领域应用的政策历史变迁,也指出了非常关键的一点,在这一政策变迁去中心化的过程中,也同时经历了向学习者为中心的内核价值变迁。这些理念上的转变对制度和政策制定上的影响可能会决定其成功或者失败,因此需要政策研究者及制定者,也需要教育的实践者即教师们深入理解,并融汇到实践中去。

三、以全球化视野定调教育及科研

近些年,中国科研人员的学术产出受到世界各国同行的瞩目。中国研究者越来越重视跨学科和国际化学术交流对高质量科研产出的积极作用,并借助快速增长的科研产出推动中国高校在世界一流大学排行榜单中占据越来越多的席位。就跨区域的合作而言,牛津大学中国研究中心协理及访问研究员珍妮特·默里·赖安(Janette Maree Ryan)博士在其主旨发言《发展“世界级”研究:通过跨学科和国际化政策培养积极的学术文化和优质研究》中比较了不同大学排名的指标体系,认为这些排行榜的结果尽管受到一定的批评,但正在影响大学各自的战略规划。她以牛津大学的高度国际化社群为个案,来探讨校内的跨学科及国际化政策如何推进世界级的研究成果发表,同时比照中国今年在科研成果数量上的大幅进步,提出其科研成果的质量仍有待提高。她倡议为学者提供良好的研究文化和跨学科交流的相关政策来鼓励更高质量的研究产出。中国在推动世界顶尖大学建设以及科研能力提升方面,可以借鉴牛津大学的相关举措,更加注重良好的科研文化的培育,以及更为关注提升科研产出的质量。

就教育内容而言,查强教授也认为博雅教育的三个重点之一是全球胜任力的培养。他认为人们已经生活在全球化的时代，对今天的时代最形象的定义是“人类纪”(Anthropocene)，我们人类已经开始对大的变化和发展负责任，很多的问题变成全球问题，来自不同地域、不同文化、不同种族的人必须携手起来解决全球问题。这个观念从国际教育已经发展到全球教育，很多课程都提及了“全球胜任力”的概念。他认为全球教育也能开发学生的批判性思维，全球教育最根本的是可以帮助我们站在不同地区、不同文化的角度上看待问题。

从教育政策的整体视角来看，纽约州立大学奥尔巴尼分校的贝纳沃特教授也提到联合国大会倡议并通过了《2030 年可持续发展议程》及 17 项可持续发展目标，在教育相关的目标中提出，新的关于学习的议程应当包括更广的学科领域，相关技术和竞争力以应对工作和生活，对于不同的价值、态度和行为有持续的兴趣；有生命长度和广度的终身学习等要素；而其他的目标中也涉及了一些和教育相关的内容，包括健康、性别平等、经济增长、负责任的消费和生产以及针对气候的行动里都提到了对相关概念进行教育的问题。《全球教育监测报告》对这些目标的执行有持续关注。许多国际机构都在关心教育问责的问题，这些机构都对教育政策将产生一定的影响，因此所有教育相关的研究和实践都应该具备全球的视野。

第八章
改革开放40年高等教育政策回顾与解读

1978年12月18日—22日，中国共产党第十一届中央委员会第三次全体会议在北京举行。迄今，历时整整四十年。四十年来，中国的教育发展随着中国社会的进步取得了巨大的成就。本章起，将连续梳理教育改革中的主要领域走过的历程，从教育政策视角总结成功的经验，引发对教育体制机制相关问题的思考和启示。本章我们首先聚焦高等教育的发展。

四十年我国高等教育的发展，大体经历了恢复秩序、大众普及、质量提升、内涵发展等几个阶段。形成了政府主导、重点实施、服务社会、系统配套等政策特征。以下，将对几个主要发展阶段的政策变迁及其影响进行梳理。

第一节　导向与举措

回顾40年高等教育走过的历程，大体经历了恢复秩序、精英教育、大众普及、提升质量四个阶段。其中，恢复秩序阶段以重启高考为标志和起点，以“十七年教育”为蓝本，建构了党委领导下的校长负责组织运行架构，使高等教育重新回到了正常发展的轨道。该阶段内容相对单一此处略去，以下集中讨论从精英教育到大众普及再到质量提升三个阶段的特征。

一、以“工程”“计划”模式重点发展高等教育

（一）重点布局，通过“工程”“计划”，形成完备的政策配套

高等教育的秩序重建以恢复高考为标志，其后逐渐形成了发展的思路。1977

年，邓小平同志在一系列讲话中提出，“重点大学既是办教育的中心，又是办科研的中心”、“高等学校，特别是重点高等院校，应当是科研的一个重要方面军”，显示“重点大学”、“教育中心”、“科研中心”等命题已经形成。

随着十一届三中全会将经济建设确立为中心，高等教育在现代化建设过程中的重要地位得到凸显。1983 年 5 月，南京大学的匡亚明等四位老校长联名向中央提出《关于将 50 所左右高等学校列为国家重大建设项目的建议》，建议中央以“重点建设经济项目”的方式“重点建设一批高等学校”，史称“835 建言”。随后在邓小平同志等中央领导的高度重视下，1984 年国务院通过《关于将 10 所高等学校列入国家重点建设项目的请示报告》，决定安排专项资金重点建设 10 所高等学校。

1993 年出台的《中国教育改革和发展纲要》进一步提出，“要集中中央和地方等各方面的力量，办好 100 所左右的重点大学和一批重点学科专业”，“211 工程”由此登上历史舞台。

1998 年 5 月江泽民同志在北京大学百年校庆讲话中强调指出：“为实现现代化，我国要有若干所具有世界先进水平的一流大学”。在这一讲话精神的指引下，1999 年国务院发布了《面向 21 世纪教育振兴行动计划》，明确提出要以重点支持的方式促使我国少数高校及其学科达到世界一流水平，至此，“985 工程”正式启动。

2011 年，胡锦涛同志在庆祝清华大学建校 100 周年讲话时提出，要积极推动协同创新，通过体制机制创新和政策项目引导，鼓励高校同科研机构、企业建立协同创新的战略联盟，努力为建设创新型国家做出积极贡献。基于“高等学校创新能力提升计划”——“2011 计划”就此启动。

可以看出，恢复教育秩序以来相当长一段时间内，高等教育的发展沿着重点布局的思路推进，并反映在政策导向上。在推进过程中以“工程”“计划”模式为特点，并形成相关配套的政策文本，针对“211”和“985”工程，国家教委陆续制定了《“211 工程”总体建设规划》《“211 工程”建设实施管理办法》《“985 工程”建设管理办法》《“985 工程”专项资金管理办法》等，对重点建设工程的组织实施、管理模式、资金管理等均做出了详细的规定。此后又对重点建设高校的遴选方式进行了改革，确定了由各高校自主立项并自评，再通过统筹部门和专家小组的审核与评议。

（二）以“教学与科研”为中心，主动服务经济社会发展

1985 年，在先期发布了《中共中央关于经济体制改革的决定》之后，我国继而发布了《中共中央关于教育体制改革的决定》，其中明确提出了通过“建设一批重点学科”来促使高等学校形成“教学与科学研究中心”。此后，为推动重点学科建设的实施，当时的国家教委陆续发布了一系列指导性文件，以指导与组织重点学科的评选工作。

在该阶段，教学方面的政策内容主要包括人才培养、教学质量、教学设施与教材编写以及招生就业；与科学研究相关的政策内容则主要包括科学技术的发展、培养学术骨干、建设学科队伍和科研设施建设。同时根据中央对外开放的政策，高等学校对外交流活动也得以恢复和发展，留学生互换、教授访学讲学、图书馆资料流动等活动得以广泛开展，自 1979 年至 1988 年间公派留学人员达 4.1 万人。

上世纪 80 年代的一系列举措对其后高等教育的整体发展具有深远影响，这一阶段，政府对科学研究的关注度远高于教学和社会服务。

（三）确定重点比例，提供专项资金，列入发展计划

在此阶段，高等教育重点建设政策主要有以下特点：第一，确定重点大学比例。1978 年国务院转发《教育部关于恢复和办好全国重点高校的报告》，确定了第一批全国重点高等学校 88 所，约占当时 405 所高等学校的 20%，到 1981 年增补为 98 所重点大学。第二，提供专项资金支持。例如，在 1984 年国家确定的 10 所重点高校的建设中，即“重中之重”建设项目，对北京大学、清华大学、复旦大学等 7 所“七五”重点建设高等学校提供了 5 亿元的专项资金。第三，列入国民经济与社会发展计划中。在 1984 年国务院通过的《关于将 10 所高等学校列入国家重点建设项目的请示报告》中，将高水平高等学校列入国家重点建设项目，至 1985 年共批准 15 所高校分别纳入年度计划和“七五”计划中，其中北大、清华和复旦在 5 年内获得 1 亿的重点国家投资，而上海交通大学、西安交通大学则获得 5 000 万的重点国家投资。

二、加快高等教育的大众化普及化进程

（一）构建高等教育发展的战略定位

1999 年国务院批准了教育部《面向 21 世纪教育振兴行动计划》（下称《行动计

划》),《行动计划》提出到2010年,高等教育规模有较大扩展,入学率接近15%,若干所高校和一批重点学科进入或接近世界一流水平。《行动计划》可以被视为最初的高等教育大众化政策,因为这一政策集中反映了国家相关部门和领域对知识经济挑战的应战姿势,另一方面也从客观上促成了国人对强国经济、科技领先、基础教育、人才关键的共识氛围。

1999年6月,第三次全国教育工作会议通过了《中共中央国务院关于深化教育改革,全面推进素质教育的决定》(下称《决定》)。《决定》指出"要调整现有教育体系结构,扩大高中阶段教育和高等教育的规模,拓宽人才成长的道路,减缓升学压力。通过多种形式积极发展高等教育,到2010年,我国同龄人口的高等教育入学率要从现在的9%提高到15%左右"。将提高全民素质培养高新技术人才作为迎接新世纪挑战的重要任务。

与此同时,1999年起实施的《高等教育法》在丰富高等教育办学层次,扩大高校招生的自主权限方面,为高等教育大众化提供了有力的法理支持。

(二) 基于经济社会发展的政策导向

从恢复秩序开始,经过二十多年的建设和发展,到世纪之交我国高等教育水平有了一定的基础。然而1999年以前,国家严格控制大学的招生数量,高校发展明显滞后于经济社会发展,高等教育面临着规模和质量双重挑战,难以适应社会主义建设事业的需要,也难以满足人民群众对接受高等教育的日益强烈的需求。高等教育的发展正在酝酿着从精英阶段到大众普及阶段的跨越,其内外诱因主要如下:

随着经济的快速发展,第三产业比重不断提升,劳动力的结构比例悄然发生变化,高文化素质劳动力比重随之快速攀升;从国际范围来看,面对诸如全球化竞争、知识经济发展、社会民主化发展、国际比较借鉴等外部因素的影响,都迫使中国的高等教育必须作出必要的回答,其中国际高等教育的发展趋势和思潮成为影响我国高等教育发展目标、政策选择、实施进程的重要因素;基础教育的蓬勃发展与实施"素质教育"的客观要求,也不断倒逼高等教育扩容;在改革开放政策下重新兴起的高等职业教育、民办高等教育为实施高等教育扩容提供了必要的资源准备;为应对1997年的亚洲金融风暴,1998年国家实施了积极的财政政策以拉动内需、刺激消费、促进经济增长与缓解就业压力,高等教育的发展客观上需要更新思路。在此背景下，经济学领域有关专家向中央提交了意在推动经济发展、主张高校扩招的建议书。

高校扩招政策因此适时启动了，可以说，高校扩招是以满足社会经济发展需要的必然结果。

（三）扩大规模，设定比例，追加经费

为落实第三次全国教育工作会议的精神，国家决定自1999年起扩大全国高等学校招生规模。原国家计划发展委员会和教育部联合发出紧急通知，决定在当年初设定的23万扩招人数基础上，再扩大招生33.7万，增幅达42%。此后近十年高校扩招都以每年40%以上的速度递增，大学新生从扩招前1998年的108万，激升到2007年的567万。相应地，1998年我国高等教育毛入学率为9.8%，1999年为10.5%，2000年为11.3%，2001年为13.2%，2002年为15.3%，2003年达到17%，2004年为19%，2005年为21%。以国际通用的高等教育毛入学率大众化15%为标准，我国已于2002年实现了高等教育大众化的目标。比原计划提前了整整8年。截至2017年，高等教育毛入学率已达45.7%，高等学校在校生3 779万人。预计到2019年，高等教育毛入学率将达到50%以上，中国将进入高等教育普及化阶段。

在此期间，国家对高等教育的投入也逐年增加。1998—2004年高等教育经费支出额以年均23.41%的速度增长，2004年达2 103.50亿元，高等教育生均教育经费、生均校舍建筑面积、生均固定资产与教学仪器设备均有稳步增长，高校教师队伍扩大，结构有所改善，总体质量得到提高。另一方面，调整高校收费标准，实行属地化管理，严格执行国家有关学费占年生均教育培养成本比例最高不得超过25%的规定，加大对贫困学生的资助，完善各类奖学金、助学金计划，还有学费减免、勤工助学、伙食补贴、助学贷款等，为扩招后的学校管理提供整体政策支持。

此外，国家鼓励和引导社会力量兴办高等教育、努力提高民办高等教育的质量和水平，对扩大高等教育的规模起了重要作用。

三、注重高等教育的内涵发展

（一）追求有中国特色的世界一流

2014年，习近平总书记在北京考察时指出“办好中国的世界一流大学，必须有中国特色”，我国开始进入中国特色的世界一流大学建设阶段。2015 年国务院印发了《统筹推进世界一流大学和一流学科建设总体方案》，指出到“本世纪中叶，我国一流大学和一流学科的数量和实力要进入世界前列，基本建成高等教育强国”。立足中国国情、继承中国传统、面向中国问题、服务中国发展、塑造中国大学精神是中国特色的重要内涵。2017 年 1 月，教育部、财政部、国家发展和改革委员会正式印发了《统筹推进世界一流大学和一流学科建设实施办法（暂行）》，标志着“双一流”战略正式实施。相比以往的重点大学建设特点，“双一流”建设打破了身份固化，避免了重复投入，激发了高校办学活力。

需要引起重视的是，“双一流”战略所强调的中国特色具有明晰的内涵。国家对高校的治理体系、人才结构、教育公平、师德建设等作为内涵式发展的特色和重点提出了一系列要求。例如，党的十八大报告指出，要逐步建立以权利公平、机会公平、规则公平为主要内容的社会公平保障体系，强调要“大力促进教育公平，合理配置教育资源”。而在教师方面，2014 年《教育部关于建立健全高校师德建设长效机制》的意见，将建立健全高校师德建设长效机制的原则和要求予以细化。关注学生成长，把立德树人作为根本任务，为高等教育人才培养指明了方向。

（二）“双一流”是新时代对高等教育的呼唤

党的十八大报告首次提出了“高等教育内涵式发展”，表明我国经济社会在优化转型进程中需要有品质的高等教育发展成果。需要高校从转变发展观念入手，以培养人才作为学校发展的根本任务，把人才队伍建设作为高校发展的不竭动力。注重质量特色，不断提升教育公平，满足经济社会发展的需求。从内涵出发，不同高校在建设过程中需要找准学科发展定位，以增强面向国家重大战略、地方经济社会发展以及产业行业需求服务能力为主要落脚点，统筹兼顾本校学科之间的协调发展，凝练学科方向，突出学科特色，建立学科竞争选优和淘汰退出机制，同时夯实基础学科，精选并做强应用学科和交叉学科，集中配置资源，着力发展具有中国特色的学科。需要强调的是，“双一流”建设在追求“世界一流”的同时，强调彰显“中国特色”，是立足中国、着眼世界，具有中国特色和国际水准的“世界一流”，以此形成具有中国特色的高等教育新模式。

（三）通过政策、法规、规划释放体制机制力量

2013 年，教育部提出加快建设一流大学和重点学科；2015 年，国务院印发《统

筹推进世界一流大学和一流学科建设总体方案》，明确提出 2020 年、2030 年和本世纪中叶建成若干世界一流大学和一流学科。2017 年，国家颁布《统筹推进世界一流大学和一流学科建设实施办法(暂行)》，指明了“双一流”建设的具体路径、管理办法、评价标准，确定了遴选认定“双一流”建设高校突出的四个重点：一是坚持中国特色、世界一流，二是鼓励和支持高水平建设，三是服务国家重大战略布局，四是扶持特殊需求。

2013 年发布的《国家重大科技基础设施建设中长期规划(2012—2030 年)》，提出加快国家创新体系建设、健全协同创新和开放共享机制，其中强调探索建立高校、企业、科研院所、地方政府以及国际之间的协同新模式，迄今共认定了两批次 38 家协同创新中心。

与此同时，早在 2011 年便出台的《大学章程制定暂行办法》，通过简政放权激发了高等院校发展的内生动力；2017 年，教育部等五部门联合发布《关于深化高等教育领域简政放权放管结合优化服务改革的若干意见》，从九个方面做出了规划，通过体制机制创新不断释放办学动力。

第二节　承续与变革

一、党和国家主要领导人是政策变迁的塑型者

纵观 40 年我国高等教育发展历程，可以清晰地发现，其教育政策在延续的历程中，政策的承续与变革是党和国家主要领导人站在历史的高度审时度势所提出的战略定位。诸多重要教育政策的颁布，多通过党和国家主要领导人在各种重要场合上的讲话为契机，相继出台系列政策。党和国家主要领导人是政策变迁的关键塑型者，在高等教育政策发展方向的确定方面发挥着决定性作用。

如在高等教育重点建设政策发展的初期，为支持重工业优先发展的经济战略，中央政府确立了重点建设政策以培养高级专门人才。此后，为发挥重点建设高校的引领作用以实现高等教育的飞跃，中央政府在已有政策的基础上调整政策方针，以全面提升高校教育质量。在重点提升科研水平阶段，“211 工程”的提出同

样是基于国际环境和国内发展需求而提出，并由国家最高教育行政部门组织实施。

以高等教育重点建设政策为例，通过对行为主体、政策及其政策行为的分析可以发现，在着重提高教学质量阶段，提出“重点大学”建设的主体是当时的高等教育部，确定重点建设哪几所高校以及具体如何建设的政策规划主体为国务院。在政策最初阶段，从政策的提出到政策具体实施，均由政府主导，重点建设政策的启动和实施依然掌握在政府手中，非政府团体的行为仅限于自发倡导，而并未参与到推行现行政策再安排的组织实施中。因此，在我国高等教育重点建设政策的演进中，虽然出现过非政府团体的身影，但非政府团体的作用十分微小。重点建设政策的制定与实施从未离开过政府相关部门所制定的各项政策文件的指导，始终遵循着自上而下的“政府主导，高校落实”的方式。

二、国家和社会利益是政策变迁的动力基础

任何一项教育政策都可以被视为教育领域的政治措施，作为政治措施本身便代表或蕴涵着政府对教育及有关问题的一种价值选择。国家和社会利益始终是推动我国高等教育政策不断演变的动力基础。在我国高等教育重点建设政策的演变中，重点建设政策的目标与重点始终跟随着国家发展需要的改变而不断变化。在教学与科研并重阶段，经济建设和现代化建设成为我国的主要发展任务，因而这一时期重点建设政策将人才培养与科学研究作为政策任务。伴随着以科技与教育为驱动力的知识经济时代的到来，我国高等教育重点建设政策继而进入了着重提升科研水平阶段，由于国际竞争已转向以科技为主的国家综合实力的竞争，因而“科教兴国”成为我国的基本发展战略，由此重点推动科学技术的发展成为重点建设政策的主要任务。

同样，1999 年高校扩招政策所宣示或蕴涵的政策价值不仅是高等学校招生规模扩大的表象；更是扩大国内需求、拉动经济增长、促进经济社会发展的深层次国家社会利益。可见，国家整体发展战略的需要，尤其是经济及社会方面的变化决定着教育政策的整体变迁方向。

三、渐进型政府主导的政策路径特征

我国高等教育重点建设政策变迁过程中的稳定性体现在政策价值导向的稳定。在我国高等教育重点建设政策推行之初，便已确定了“集中资源，重点建设”的政策理念。时至今日，重点建设政策虽已历经六十多年的发展，并经历了多个政策阶段，但各政策阶段均遵循着政策初期的价值理念：在着重提高教学质量阶段，最初国家制定的重点高校仅有 6 所，而后增加为 16 所，并最终确立了 96 所重点高校；在之后的教学与科研并重阶段，“七五”计划时期仅有 15 所高校建设获得国家专项资金支持；在重点提升科研水平阶段，先后共有 112 所高校成为“211 工程”建设高校，仅有 39 所高校成为“985 工程”建设高校。不难发现，选取部分高校以集中资源建设始终是重点建设政策各演变阶段的价值主导，即我国高等教育重点建设政策的发展自始至今延续着“效率至上”的价值导向。

在这一价值思想引导下，中国高等教育政策变迁是稳定和渐进的，相关政策出台后都保持一定的稳定状态，体现了宏观政治及其子系统的合力和稳定，构成了制度自信、道路自信在高等教育发展进程中的中国故事。另一方面，通过政府对政策问题的重新定义，政策主导者——包括国家政府首脑机构、国家教育行政部门、国家发展计划部门、国家人力资源和社会保障部门等组织协同，整合共识及利益并保持社会稳定，形成了渐进的政府主导模式。

第三节　特点与问题

一、高等教育是否已形成中国模式引发关注

改革开放 40 年来，中国高等教育发展成绩举世瞩目，国内外许多学者进行了不同程度和不同视角的研究和思考。加拿大多伦多大学终身教授、著名比较教育学者许美德(Ruth Hayhoe)教授提出：“中国高等教育模式必须建立在中西方文明对话的基础上。”命题涉及中国高等教育模式及其发展方向。日本中央教育审议

会委员、东京大学前教育学部长金子元久教授指出：高等教育发展的中国模式不仅表现在中国高等教育规模的急剧扩大方面，更表现在以市场化和国际化为主要特征的高等教育改革上；中国形成了能够根据社会需要而不断调整自我行为的高等教育的基层组织，同时，该体制又激活了教师从事教育和研究的动力。国内学者郑文、陈伟认为，中国高等教育的发展模式呈现出以下基本特征：基于跨越式发展以便追赶先发国家的目标；按照冲击——反应式发展逻辑，因应目标多元而高远但资源紧张且供给机制尚待优化的实际国情，坚持重点论原则，举全国之力，以试点方式，强有力地推动高等教育系统中重点区域、重点项目、重点单位的快速发展。上述观点或基于高等教育发展的中国路径或基于高等教育发展的特色阐释，对于总结、传播中国高等教育发展的经验和声音，具有一定的启示。

中国高等教育自诞生之初就是国家化的产物，从清末明初学习日本、五四前后学习美国、建国以后学习苏联、改革开放后追踪美国并逐渐探索出了一条中国特色的高等教育发展之路，这一历程中既有来自世界其他高等教育体系的影子，也有中国自身文化基因对高等教育发展走向的深刻影响。可以说，中国高等教育的发展历程是对外学习借鉴、对内本土摸索的过程。经过 40 年来的改革发展，中国高等教育虽然仍存在不少短板，但中国大学将自身传统文化与西方成熟经验相结合的独特探索不仅取得了令世界瞩目的成绩，也为世界高等教育的发展增添了多样性。

然而，就高等教育的模式而言，尚需植根于所在国家的政治、经济、社会、文化等制度背景，形成整体有效的良性互动体制机制，同时还应在价值、理念等层面对世界高等教育的发展有所促进、有所贡献。就此而论，讨论中国高等教育的模式或尚待时日。

二、历史辩证地评估中国高等教育大众化的奇迹

40 年来，政治稳定和经济繁荣为中国高等教育的发展提供了良好的环境并取得了显著的成就。从 1978 年到 1998 年，普通高等学校数量由 598 所增加到 1 022 所。普通高校本专科在校生总量从 85.6 万人增加到 340.9 万人，增长了将近三倍。成人高等学校达 968 所。高校的研究生数量和教职工数量也都有大幅度的

增加，高等教育稳步发展。1996年，《全国教育事业“九五”计划和2010年发展规划》提出，到2000年将高等教育毛入学率提高到11%。两年后这一目标旋即被修订并提速到：2005年达到15%(国际公认的高等教育大众化门槛)，而实际上这一目标在2002年就得以完成。中国用了不到十年的时间将高等教育大众化目标变为现实，而同样的过程美国用了30年，日本用了23年，欧洲教育发达国家用了25年。40年来高等教育的发展印证了改革与开放的重大作用，缔造了中国高等教育迅速大众化的奇迹。

在取得成绩的同时，高等教育发展中的问题和不足同样需要正视。(1)高等教育体系的分层化和等级化。伴随着重点大学政策的同时也出现了分层分级现象。1993年的《中国教育改革和发展纲要》提出，高等教育行政管理结构分权化以及扩大大学自主权，将大学重组以提升效率、效益，合理扩招和高等院校经费来源多元化；此后1995年启动“211工程”；1998年开始院系大规模调整；1998年启动“985工程”；1999年开始鼓励公立大学创办二级学院；再到如今的“双一流”建设等，一系列政策措施的出台形成了今天高等教育“金字塔”结构的制度安排：一方面是旨在提升全球竞争力的所谓国家级精英大学，另一方面是满足国内社会需求的普通地方性大学及新创办的高等职业学院。从“穷国办大教育”的国情出发，这样的分层自有其合理性，但由于相关政策与经费资源等的捆绑，不仅挫伤了一些办学主体的积极性，也限制了这些高校发展的可能。(2)高等教育的质量问题。中国高等教育的迅速大众化既是扩招的结果也是扩招的后果，超常规快速发展必然导致教学质量的下滑。虽然在政策文件和规划中一再强调高等教育内涵式发展，但是实际工作重心还没有完全转移到内涵发展上，保障高等教育质量的制度体系还不够健全。在本科教学上，大学教育重专业教育，轻通识教育，忽视了学生的人格养成；一些一流大学重科研，轻教学，忽视本科教育教学，高等教育办学出现功利化倾向；在师资结构上，拥有博士学位的教师比例相比欧美发达国家仍较低；在高等教育结构上，民办高等教育办学质量较低，且同质化倾向严重，大学办学缺乏特色，“双一流”建设任重道远。(3)毕业生面临严峻的就业形势。影响高校毕业生就业问题的因素众多，其中社会经济因素或许更为基础，但因扩招带来的大规模、低质量进而引发社会上“新读书无用论”、“文凭贬值论”的质疑也从未间断，使得就业问题的解决成为政府和社会的一个焦点。(4)高等教育全球治理参与不足。高等教育在国际化进程中也出现了不少问题和挑战，比如联合办学的质量保障问题、学生和教师的跨境流动问题、学历互认问题、大学的交流和合作等。这些都需要通过加强高等教育的全球治理，加强各国沟通和协调彼此利益，保障高等教育的发展。由于历史原因，中国在国际教育组织中任职人员较少，且职位不高，从而使我国长期缺席高等教育的全球治理，中国高等教育在国际上难以发出自己的声音。

第四节　观察与思考

一、寻找中国高等教育模式的创造性主体和关键变量

中国高等教育模式所根植的文化是传统的中国文化，还是经过国外学者改造或转译后的中国文化，抑或是当下的中国文化？事实上，在经过五四运动之后，传统的中国文化已融入许多西方文化的元素，这既是世界文化交流中的客观事实，也是中国文化具有包容性特色的展现，是中国独特思维方式的展现。习近平总书记倡导的“构建人类命运共同体”的思想是中国特色社会主义文化建设的重要组成部分。扎根中国大地办世界一流高等教育必须立足于中国高等教育发展的国情，传承和发扬中国传统文化的精髓，并吸收西方世界的优秀文化，才能真正办好中国的高等教育。

（一）建立高校领导者的创造性主体地位

高等教育发展所依赖的文化必须有自己的执行主体，高校党委领导下的校长负责制是具体的执行主体。这一主体必须具有坚定的政治立场，独立的学术见解，较强的学术人格魅力，并且具有突出的学术成就。19 世纪初叶创造德国高校模式的洪堡，具有高超的领导艺术，深知如何处理高校的个性和统一性及学术需要与国家需要的关系问题，而且他的包容能力非常强，既不专断，又不以哗众取宠为能事，给今天的中国高等教育发展以诸多启示。中国文化的活力因子普遍存在，但要真正发挥作用就必须依靠有创造性的高校领导者和管理者。

中国高等教育模式探索必须基于本土的实践。高等教育实践模式的丰富和

发展是高校在适应社会经济发展过程中不断进行自我调适的创造活动，这一过程一般难以用“投入—产出”公式来精确计算，它并非一个完全理性的过程。当高等教育发展环境能够激发高校领导团队的创造热情时，中国高校模式才可能产生出来，这是一个复杂的结合，一般难以预期。如果中国高校不能出现一批杰出的领导者，中国高等教育模式的出现是不可想象的。

目前而言，中国高校尚未形成成熟的、世界一流的运行规则，因为中国高校所面临的境况是前所未有的，几乎无成例可循，无论是西方高校模式还是中国书院模式都无法直接运用于当下情景，高校只能依靠领导团队自己的信念进行探索。对领导者而言，如果他没有自己成熟先进的教育信念，那么高校就需要进行长时间的摸索，此时高校的运行状况在较大程度上依赖于领导者的个人魅力和驾驭微观政治活动的能力。

（二）寻找高等教育中国模式的关键变量

研究发现，在中国高等教育模式建设过程中起先导性作用的是经济因素，而非文化因素。一方面，由于经济建设的成功，人们发现了劳动力，进而找到了作为劳动力素质显性影响因素的教育。另一方面，如果没有强大的经济基础，高等教育发展就缺少物质保障，高校的文化载体功能也就难以发挥。可见，弱的经济基础就无强的文化可言。如果没有中国经济的振兴及其在国际上举足轻重的地位，就不可能形成独具中国特色的中国高等教育模式。当经济发展中的“北京模式”不断受到世界关注之时，中国高等教育发展的模式问题也日益受到世界瞩目。

问题在于，中国高等教育究竟能够为国际高等教育的发展提供何种思想和经验。德国的高等教育模式丰富和发展了高校的职能，使高校从单一的教学职能变成教学和科研相结合的双重职能；美国高等教育模式使高校职能兼具三重性，即教学、科研和社会服务相结合，而且它们不是相互脱离的，这样美国高校更具有一种实用主义的气息。就现状而言，虽然中国“211”工程、“985”工程在国际上产生了相当大的影响，但其副作用也日益显现，一定程度上引发了高校之间的盲目攀比，更给高校带来了去个性化的弊端。毋庸置疑，中国高等教育的未来是在中国共产党领导下的具有中国特色的成功，这种成功必然会超越既有的各种成功模式。如何既保持党的领导、又鼓励高校自主个性化发展；如何真正建设世界一流高校，又具有鲜明中国特色，探索之路仍在前方。

二、建立人才培养模式的成功典范

（一）细分人才培养的类型与层次、规格和质量

尽管中国高校建设模式在历经改革开放 40 年后，其办学格局、办学形式以及办学任务发生了嬗变，但在发展过程中始终坚持社会主义办学方向，牢牢抓住培养社会主义建设者和接班人这个根本任务。不管高校建设模式如何调整，新时代高校建设应根植于人才培养的类型与层次、规格和质量，充分发挥社会主义高校教学、科研、社会服务的功能。

从人才培养角度看，我国高校可分为研究类高校与应用类高校。进一步又可根据高校的人才培养规格、培养特色、办学定位等细分为不同的类型。学术研究型高校可以分为综合研究型高校、特色研究型高校；应用型高校可分为应用通用型高校、应用技术型高校、应用技能型高校。根据教育部发布的统计，截至 2017 年 5 月 31 日，全国高等学校共计 2 914 所，其中：普通高等学校 2 631 所（含独立学院 265 所），成人高等学校 283 所。由于长期定位于精英教育的思维定势，使得国内一批高校在办学指导思想上热衷于“求高、求大、求综合”，人才培养规格单一、层次趋高、类型模糊，“同质化”倾向明显。不同类别以及不同办学层次的高校其人才培养的发展定位各异。各高校为实现其特定的人才培养目标，必然要根据一定的教育理念指导和设计一定的培养制度，以面向社会输送相应规格和质量的人才。高校人才培养目标体现着高等教育培养人才的具体要求。合理定位人才培养目标（层次和类型、规格和质量）将有助于高校明确办学指导思想，提升核心竞争优势。当前，随着我国高等教育从精英教育转入大众化教育阶段，高校人才培养目标需要进行重新定位。

（二）建立以人才培养定位为基础的分类体系

我国高等教育分类标准与体系形成于上世纪 50 年代，主要是根据学科布局和学科覆盖面来划分，这种高等教育精英时代的划分依据理论上认为所有高校都是平等的，都是以培养理论型、研究型人才为目标，只是存在学科差异和学科覆盖面的不同。当时的高等学校分为综合性大学、多科性工科高校、单科性高等工科院校、高等师范院校、医学院、农学院、林学院、财经学院、政法学院、艺术学院、体

育院校等。这一分类体系虽然经过20世纪90年代高校合并调整和高等教育大众化的冲击,但依然影响至今,还是目前高校分类的主要标准。

随着高校扩招,我国高等教育越过了大众化阶段,几近于实现普及阶段,高校数量迅猛增加,规模扩张较快,传统的以适应精英高等教育为特征的高校设置标准与分类标准已难以适应时代需求。这种传统的以学科覆盖面与在校生规模为主的标准,也在一定程度上引发了高校的"升格冲动"和"规模扩张冲动"。此时,高等教育不但需要进行学科分类,更需要按照人才培养的规格进行分类和分层,而传统的以学科为主的高等教育分类体系,只是体现了人才培养的学科归属,却没有体现高等教育人才培养目标的不同和规格的差异。大众化普及化的高等教育系统发展成为一个"多样化"的体系,体系内的各类高等学校都有自己的价值定位和使命特色以及服务面向,以自己的服务满足社会需求。高校不仅要培养学术科研人才,还要培养社会精英,培养大量的专业人才甚至于一般职业技能人才,以此满足经济社会发展的人才多样性要求。

高校建设与发展的模式必须根植于人才培养的层次、类别,规格和质量,而以人才培养为基础的分类体系又反证高等教育人才培养的规格与目标,如此才能够适应并促进大众化普及化时代学生来源的多样化、需求的多样化、人才培养类型和规格的多样化和人才培养模式的多元化,从而促进高等教育由同质化走向多样化、异质化,真正实现高等教育的分类发展、分类管理、分类评价。同时,以人才培养为基础进行高等教育分类,也有利于促进高等学校回归人才培养这一根本职能,促使各类高校树立人才培养的中心地位,不断提高人才培养质量。因此,增强高校建设模式的适切性,提升高等教育人才培养质量必须进一步加强建立以人才培养定位为基础的高等教育分类体系的研究。

(三)始终坚持创新性与引领性

通常认为,模式是一种重要的科学操作和科学思维的方法。它是为解决特定的问题,在一定的抽象、简化、假设条件下,再现原型客体的某种本质特性。模式是经验与科学之间、现实与理论之间转换的"中介",一方面,它把经验加以升华,对现实作简略的描述式再现,使之成为理论思维的半成品;另一方面,根据一定理论提出假设并赋予条件和操作程序使其现实化(即指导实践)。无论人才培养模式还是高校建设模式,都不应囿于某一种特定不变的形式,或机械地照抄照搬西方发达国家的经验做法，而是要将高校发展置于国家发展、国际竞争与瞬息万变的世界历史流变之中，立足当前又着眼于未来，始终坚持创新性与引领性。

如浙江大学提出的“KAQ”模型(knowledge & ability & quality)——知识、能力、素质模型，这一人才培养模式在国内较为创新，目前在高等教育领域得到了较为广泛的认同。这一提法能直接表明21世纪高校人才培养的目标，具有培养模式的简约性、再现性等特点。当然，在较宽泛的意义上讲，素质也包含着知识和能力。但为了把教给学生知识与教会学生“学会学习”(即用人类已知的知识来提高自己)以及“学会创造”(即个体在社会原有基础上做出新的贡献)相区别，这里主要将其看作是三种不同层面的概念，有着某种层层递进的关系。高校是实施高层次专业性教育的机构，以培养各种专门人才为目标，它所培养的专门人才，将直接进入社会各职业领域从事专门工作。在知识经济时代，高校要培养出适应21世纪经济、政治、文化发展需要的综合型人才，就必须改革单一的人才培养模式，根据高等教育综合化的要求，逐步构建起注重素质教育，融传授知识、培养能力与提高素质为一体，富有时代特征的人才培养模式。与此相对应的是，高校在选择适合自身发展模式的过程中，需要重新审视专业设置与课程设计的学术性、应用性和创造性。

第九章
改革开放 40 年基础教育政策回顾与解读

四十年我国基础教育的发展，大体经历了恢复秩序、义务教育的普及、素质教育全面推进以及课程改革的实践等几个阶段。以下，我们将对几个主要发展阶段的政策变迁及其影响进行梳理。

第一节　导向与举措：相关政策的梳理解读

一、恢复秩序阶段

（一）政策导向：重建“十七年”教育秩序

“文革”结束之后百废待兴，现代化教育何去何从必须找到出发的地方。伴随着 1977 年高考的恢复，从 1978 年起到 20 世纪八十年代中期，我国基础教育进行了相应的制度重建和秩序重建，其政策导向可以概括为恢复“十七年”的教育传统。

（二）具体举措：聚焦体制机制、学制和教学制度

（1）恢复条块结合、分级管理的行政管理体制与党支部领导下的校长负责制的学校管理体制。十年“文革”，我国基础教育的行政管理体制遭到了严重破坏。1978 年，教育部对 1963 年的相关条例进行修订并颁发了《全日制小学暂行工作条例（试行草案）》和《全日制中学暂行工作条例（试行草案）》，实行统一领导、分级管理、以块为主的基础教育行政管理体制，强调中央教育行政的权威。在中小学内部，恢复实行“党支部领导下的校长分工负责制”的领导体制，既保证党的领导又

注重行政的专业特征。

(2) 恢复分科课程,制订全国统一的教学计划、教学大纲,编写全国通用教材。1977年,教育部开始组织制订全国统一的教学计划、教学大纲和编写全国通用教材的工作。1978年,教育部颁发了《全日制十年制中小学教学计划(试行草案)》和部分学科的教学大纲,对中小学开设的学科门类、数量、课时等做出了规定,恢复了分科课程模式。1981年3月,教育部正式颁发了《全日制五年制小学教学计划(修订草案)》。次月,又颁发了《全日制六年制重点中学教学计划(试行草案)》以及适用于尚未过渡到六年制的五年制重点中学的《全日制五年制中学教学计划(试行草案)的修订意见》。同时对1978年印发的中小学学科教学大纲草案进行了修订。在教学计划和教学大纲的指导下,组织开展了教材编写工作,由人民教育出版社统一出版全国通用的中小学各科教材,首套教材于1978年秋季开始供各地使用。此后又根据情况变化,对各科、各学段教材不断进行增补修订。至此,正常、统一的课程教学制度和秩序得以全面恢复,且初步建立了适应社会主义现代化建设需要的课程体系。

(3) 恢复"六三三"学制,保持学制的基本稳定。学制是学校教育制度的简称,是一个国家各级各类学校的系统,它规定了各级各类学校的性质、任务、入学条件、学习年限以及它们之间的衔接和关系。"文革"期间学制遭到严重破坏,也导致学校教育教学质量的大滑坡。1978年教育部重新颁发《全日制小学暂行工作条例(试行草案)》和《全日制中学暂行工作条例(草案)》,小学由5年改为6年,初中、高中各由2年改为3年。1981年,教育部颁发《关于在城市试行六年制小学问题的通知》,要求基础教育实行"六三"学制。此后,全国恢复"六三三"学制并一直沿用至今。

二、义务教育普及阶段

(一) 政策导向:调动各种力量,大力推进基础教育全面、公平、快速发展

要改变中国社会全方位落后的局面,必须加快优秀人才的培养,不断提高国民素质。如何"培养有理想、有道德、有文化、有纪律的社会主义建设人才",不仅是我国社会经济发展的需要,更是当时教育发展的重要任务。我们从世界发达国

家所走过的历程和经验中认识到，中国要发展必须普及义务教育。虽然在普及义务教育之初，我们在国力、教育资源、法制建设等方面尚未做好充分准备，但由于清醒地认识到普及义务教育对国家、民众具有不可替代的影响和作用，中国社会在党的领导下调动一切可以调动的资源和力量大力推进义务教育的实施。其中，以2006年为界，可以把义务教育的实施分为前后两个阶段。1986年到2006年的20年，主要是调动多种社会资源和手段，落实刚性普及指标；2006年以来的12年，重在强化政府责任，确保高质量高标准普及九年义务教育。

（二）具体举措：颁布《义务教育法》，出台相关保障政策，加强对地方政府的督政检查，引导全社会形成促进教育普及的合力

（1）颁布义务教育法。1986年我国颁布了《中华人民共和国义务教育法》，规定适龄儿童必须接受九年义务教育。明确义务教育管理权限，“实行国务院领导，省、自治区、直辖市人民政府统筹规划实施，县级人民政府为主的管理体制”，并从师资、经费等方面提供法律保障。为推进《义务教育法》的落实，国家先后颁布《关于实施〈义务教育法〉若干问题的意见》《中华人民共和国义务教育法实施细则》《关于在90年代基本普及九年义务教育和基本扫除青壮年文盲的实施意见》等一系列政策文件。2006年对《义务教育法》进行修订完善，进一步明确了我国义务教育的公益性、统一性和义务性，规定自2008年起在全国范围内全部免除义务教育阶段学生学杂费，这对普及义务教育起到重要作用。

（2）加快办学体制改革。从1978年改革开放以来至1985年以前，我国对基础教育实行中央高度集中的计划管理，与之相配套的也是高度集中的基础教育财政体制。从1985年到2001年，我国义务教育实行地方负责、分级管理的原则。至2003年，党的十六届三中全会提出“统筹城乡发展”和“统筹经济社会发展”的改革思路，这种改革思路具有一定的延续性。《国家中长期教育改革和发展规划纲要（2010—2020年）》（以下简称《纲要》）明确提出：“进一步加大省级政府对区域内各级各类教育的统筹。”2013年《中共中央关于全面深化改革若干重大问题的决定》明确提出，要“统筹城乡义务教育资源均衡配置”“扩大省级政府教育统筹权”。

（3）切实加大义务教育经费的投入。明确提出国务院和地方各级人民政府用于实施义务教育财政拨款的增长比例须高于财政经常性收入的增长比例。加快税费改革，征收教育附加税，增加了财政性教育经费。2000年以来义务教育财政制度经历"以县为主"和"财政转移支付"两次改革，义务教育经费重心进一步上移，加大省级教育经费的统筹力度，义务教育财政投入规模不断扩大，生均投入持续上升，经费分配结构不断优化。在2000—2011年间，我国义务教育总经费和义务教育财政性经费均呈快速增长趋势。

表18　义务教育办学体制改革相关政策

名称	重点内容	时间
《中共中央关于教育体制改革的决定》	发展义务教育，地方要鼓励和指导国家企业、社会团体和个人办学。实行义务教育由地方负责、分级管理的原则，义务教育管理权属于地方。	1985
《义务教育法》	政府鼓励社会力量参与义务教育办学。义务教育事业，在国务院的领导下，实行地方负责、分级管理。	1986
《中国教育改革和发展纲要》	改变政府包揽办学的格局，逐步建立以政府办学为主体、社会各界共同办学的体制。在现阶段，义务教育应以地方政府办学为主。	1993
《社会力量办学条例》	国家鼓励社会力量举办实施义务教育的教育机构作为国家实施义务教育的补充。	1997
全国教育工作会议	在我国第十个五年计划期间，要基本形成以政府办学为主体，公办学校与民办学校共同发展的教育格局。	1999
《国务院关于基础教育改革与发展的决定》	实行在国务院领导下，由地方政府负责、分级管理、以县为主的体制。	2001

表19　义务教育阶段学生生均经费

年份	义务教育经费（千元）		义务教育财政经费（千元）		义务教育生均教育经费（元）		义务教育生均财政经费（元）	
	小学	初中	小学	初中	小学	初中	小学	初中
2000	100 169 237	56 155 839	63 160 324	33 295 041	792. 36	1 210. 42	499. 69	698. 04
2001	118 652 196	67 046 623	80 407 022	42 465 626	971. 47	1 371. 18	658. 44	838. 77
2002	135 878 340	78 435 231	95 115 202	53 289 594	1 154. 94	1 533. 48	834. 07	998. 09

续 表

年份	义务教育经费（千元）		义务教育财政经费（千元）		义务教育生均教育经费(元)		义务教育生均财政经费(元)	
	小学	初中	小学	初中	小学	初中	小学	初中
2003	146 928 830	87 419 505	108 020 369	60 100 603	1 295. 39	1 667. 95	952. 44	1 096. 98
2004	169 884 326	100 934 576	126 105 025	70 794 932	1 561. 42	1 925. 43	1 159. 21	1 296. 13
2005	192 078 108	118 007 462	143 390 865	83 883 690	1 822. 76	2 277. 32	1 361. 09	1 561. 69
2006	218 316 407	133 123 872	171 991 364	101 454 169	2 121. 18	2 668. 63	1 671. 41	1 962. 67
2007	292 971 105	205 131 278	228 058 270	149 269 894	2 751. 43	3 485. 09	2 230. 97	2 731. 27
2008	353 256 325	253 732 085	279 064 920	191 939 091	3 410. 09	4 531. 83	2 787. 57	3 644. 98
2009	419 729 004	300 784 172	333 942 468	232 025 410	4 717. 45	5 564. 66	3 424. 65	4 538. 39
2010	485 825 906	342 988 005	391 095 748	268 984 766	4 931. 58	6 526. 73	4 097. 62	5 415. 41
2011	594 569 127	413 814 487	477 309 217	324 243 790	6 117. 49	8 179. 04	5 061. 64	6 743. 87
年均增长率	17. 58%	19. 91%	20. 19%	22. 99%	20. 42%	18. 97%	23. 43%	22. 90%

资料来源：2001—2012 年《中国教育经费统计年鉴》。

(4) 建立对口援助机制。对于经济欠发达地区，中央政府组织发达地区对其实施支援。引导和鼓励社会各界积极参与义务教育的普及和实施。其间，一度倡导“人民教育人民办”，鼓励社会各界捐资办学。

(5) 强化督政督学及问责机制。国务院加强对地方政府的督政和对办学主体的督学，强化问责机制。

经过三十多年的努力，我国的义务教育普及程度得到极大提高，逐步从非均衡发展阶段进入到均衡发展阶段。

三、素质教育发展阶段

(一) 政策导向：回归人本位价值取向，重视学生素质全面提升

“素质”这一概念受到教育理论界关注始于 20 世纪 80 年代初。1985 年 5 月，中共中央、国务院召开了改革开放以来的第一次全国教育工作会议，在会议

颁布的《中共中央关于教育体制改革的决定》中指出，教育体制改革的根本目的是提高民族素质，多出人才、出好人才。20世纪80年代中期，纠正片面追求升学率现象、全面提高学生素质的呼声日益高涨，教育理论界开展了关于教育思想的讨论，一些学者开始撰文论述国民素质、劳动者素质、人才素质等问题。从讨论中可以看到，“素质”最初不仅指狭义的先天生理禀赋，也包括生理、心理和社会文化等不同层面的广义概念。素质的特点可归纳为遗传性与习得性的统一，自然性与社会性的统一，稳定性与发展性的统一，潜在性与现实性的统一，共性与个性的统一。

1987年时任国家教委副主任柳斌在中国教育学会第三次全国代表大会上使用了“素质教育”一词。此后，有学者撰文从学理上探讨了素质教育问题。与素质教育同时出现的一个概念是“应试教育”。“应试教育”通常被打上引号使用，指脱离人和社会发展的实际需要，单纯为应对考试争取高分，片面追求升学率，违背教育规律的一种教育训练活动。这一阶段教育理论界主要从素质教育与“应试教育”的关系角度分析素质教育的概念和内涵，从社会和人发展的需要出发讨论素质教育的意义，从马克思主义全面发展的理论层面探讨素质教育的理论基础。

20世纪90年代，我国改革开放和社会主义现代化建设进入新的发展阶段。党的十四大提出了科教兴国的战略，教育被赋予提高国民素质、培养跨世纪人才的使命。1999年6月，第三次全国教育工作会议召开。这次会议以素质教育为主题，发布了《中共中央国务院关于深化教育改革全面推进素质教育的决定》，提出“我们的教育观念、教育体制、教育结构、人才培养模式、教育内容和教学方法相对滞后，影响了青少年的全面发展，不能适应提高国民素质的需要”，把素质教育提高到事关国家发展大局的重要地位，素质教育被赋予新的时代使命。

（二）具体举措：统一认识，加强政策配套，总结推广典型经验

(1) 统一思想认识。在1994年全国教育工作会议的总结讲话中，李岚清同志肯定了社会各界对教学改革的要求，指出“基础教育必须从‘应试教育’转到素质教育的轨道上来，全面贯彻教育方针，全面提高教育质量”，“素质教育”一词第一次见诸于国家正式文本中。时任国家教委副主任柳斌从1995年到1997年间连续撰文，五论“关于素质教育的思考”，对统一思想认识，动员各界参与讨论起到重要

作用。1996年制订的《中华人民共和国国民经济和社会发展“九五”计划和2010年远景目标纲要》提出：“要改革人才培养模式，由‘应试教育’向全面素质教育转变”。至此，素质教育这一命题已成为现代化建设和人民群众对现代人素质提高的一种强烈愿望，是理论探索和实践探索在新的历史阶段中的必然选择。

（2）发布指导性政策文件。1993年2月，中共中央、国务院印发了《中国教育改革和发展纲要》（以下简称《纲要》），明确提出：“中小学要从‘应试教育’转向全面提高国民素质的轨道，面向全体学生，全面提高学生的思想道德、文化科学、劳动技能和身体心理素质，促进学生生动活泼地发展，办出各自的特色。”《纲要》的发布，对实施素质教育起到重大推动作用。1997年9月，原国家教委在烟台召开了带有工作会议性质的全国中小学素质教育经验交流会，在政策上注意抓住素质教育实施中的关键环节和薄弱环节，加大行政干预力度，为地方和学校实施素质教育进行统筹安排。烟台会议之后，原国家教委发布了《关于当前积极推进中小学实施素质教育的若干意见》，就素质教育的内涵和基本特征进行了规范释义，同时提出了在全国推进素质教育的一揽子政策配套措施。如加强薄弱学校建设，建立和完善以全面提高学生素质为目标的课程体系，建立素质教育的督导评估体系，改革考试和评价方法，加快升学考试制度改革，改进和加强德育工作，建设高素质的校长教师队伍等。素质教育实践不仅在基础教育领域得到实施，还影响到高等教育等各级各类教育。

（3）发现总结典型经验。体现素质教育思想的早期实践探索如“愉快教育”、“和谐教育”、“情境教育”、“成功教育”等，这些素质教育试点，在全国引起较大反响，并逐步形成了区域改革的趋势。1996年2月，《人民教育》杂志长篇报导了湖南汨罗市大面积推行素质教育的经验，探索建立学校与社会联手共同综合治理实施素质教育的有效运行机制。这是素质教育实践过程中的一个重要转折点，使改革实验从学校扩展为区域性，为全国全面实施素质教育奠定了广泛的群众基础。

（4）调动地方实施素质教育的积极性。这期间，省级教育部门关于推进素质教育的行政性文件和政策性措施密集发布，素质教育改革成为地方、学校、社会积极参与的一场教育实践活动。这一阶段的突出特点是社会广泛参与，各界高度认同，学校全面整改，区域整体推进。

四、课程改革与实践阶段

(一) 政策导向：以课程实践为制度平台，全面深入推进素质教育

早在20世纪80年代末，上海在“三个面向”的引导下，便开始了中小学课程教材改革(简称“一期课改”)。上海一期课改把培养学生素质放在核心的位置，并率先提出了发展学生个性的命题，在课程结构上提出设置必修课、选修课和活动课三个板块，改变了传统的必修课程一统天下的局面。至90年代末上海进入了深化课程改革的二期课改，使之构成了全国课程改革的重要组成部分。进入新世纪以后，全国的基础教育课程改革拉开了序幕，这是新中国成立以来在课程教材领域进行的第八次改革。新课改围绕以德育为核心、以创新精神和实践能力培养为重点的素质教育，突出了以学生发展为本的宗旨，从课程结构、课程内容、课程实施和课程评价等方面进行了全方位的改革。提出了知识与能力、过程与方法、情感态度价值观三维教育目标的有机统一。调整课程权限，确立了国家、地方、学校三级课程体系，提升学校在课程实施中的地位和权重，使课程成为全面实施素质教育的制度平台。

(二) 具体举措：颁布课改纲要和方案，研制课程标准，引导教育新理念，引入教材编撰使用新机制，建立课改实验区，确立三级课程体系

(1) 2001年6月教育部颁布了新课程改革的纲领性文件《基础教育课程改革纲要(试行)》。2003年，教育部又颁布《普通高中课程改革方案(实验)》，此后相继研制并出台了各科课程标准，取代了以往的教学大纲。

(2) 根据课程标准重新组织教材编撰，引入“一纲多本”教材体制，赋予地方、学校更多的教材选择权。改变课程管理体制，实行国家课程、地方课程和学校课程三级管理体制，提升地方和学校在课程实施中的自主权。

(3) 2001年9月在全国38个国家级实验区进行了实验，2002年秋季实验进一步扩大到330个市、县。2004年秋季，在对实验区进行全面评估和广泛交流的基础上课程改革进入全面推广阶段。

(4) 加强课程理论研究，引导教育新理念。在全国十六所师范大学和中央教科院成立了“基础教育课程研究中心”，加强课程理论研究，对知识、学习以及课堂文化等进行概念重建，改变教师教学行为和学生学习方式，在教与学方式上倡导

自主学习、探究学习、合作学习，鼓励“综合实践活动”。

第二节　发展与成就：基础教育发展的成果彰显

一、解决了“穷国办大教育”的世界性难题

党和国家始终坚持让更多人接受教育的理念，针对高文盲率、低入学率的国情，审时度势提出“两条腿走路”的方针，积极调动国家、地方和群众办学力量，逐步探索出了一条“穷国办大教育”的道路。“穷”是指我国经济发展水平较低，国家用于发展教育事业的经费总量十分有限，生均教育经费非常低。调查资料显示，1975 年，世界主要发达国家教育经费占国民生产总值的比例是：美国 7.6%，英国 8.2%，法国 5.0%，西德 6.4%，日本 6.5%，苏联 9.0%，而我国 1978 年教育经费仅占国民生产总值的 2.09%。从生均教育经费来看，到 2000 年我国基本普及九年义务教育时，全国小学、初中生均预算内事业费支出分别为 491.58 元和 679.81 元，远低于主要发达国家。“大”是指我国义务教育学龄人口众多，而普及程度较低，义务教育发展任务艰巨。“大”和“穷”是一对矛盾，办大教育要花大钱，可以说我国需要用最有限的公共教育资源办世界上最大规模的教育。

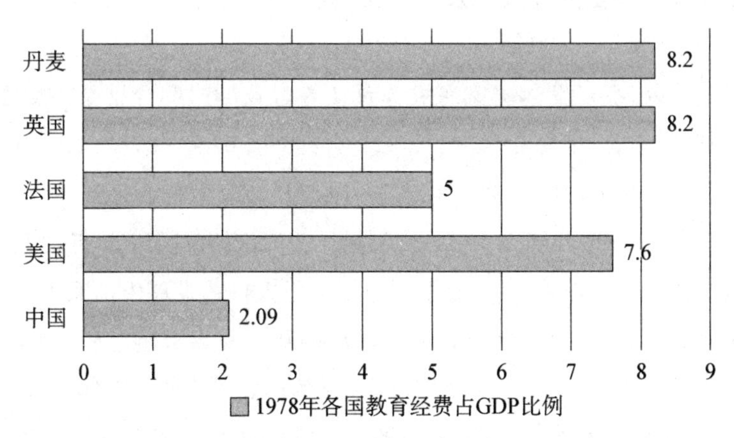

图 3　1978 年各国教育经费占 GDP 比例

数据来源：[法]《Quid》年鉴 1980 版

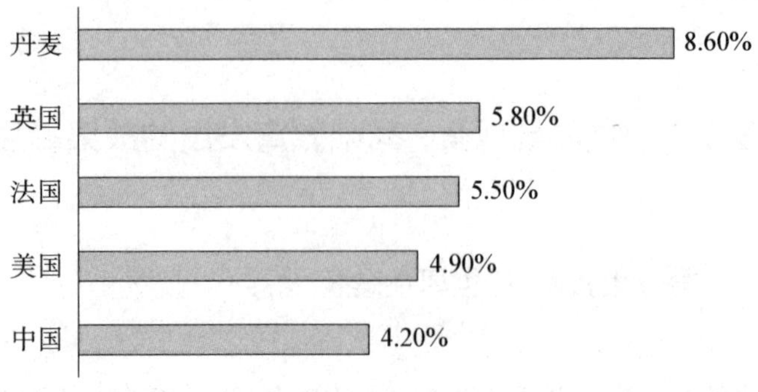

图 4　2016 年各国教育经费占 GDP 比重

数据来源：中国报告网

在此形势下，我国积极探索“穷国办大教育”的经验，逐步建立起健全、有保障、有质量的义务教育体系。随着教育改革的不断深化，政府逐步将教育摆在优先发展的高位，国家对教育的投入也在不断加大，财政性教育经费逐年上升。据统计，2001—2010 年我国公共财政教育投入从约 2 700 亿元增加到约 14 200 亿元，年均增长 20. 2%，2012 年国家财政性教育经费占 GDP 比例首次超过 4%，在我国教育史上具有重要意义，2016 年我国教育经费占比已经达到 4. 2%。教育投入的增长为创造性解决“穷国办大教育”的世界性难题奠定了坚实的基础。

二、用 25 年时间全面完成普及九年义务教育的壮举

全球范围内，主要发达国家完成普及初等教育的时间分别是：德国 125 年（1763—1888 年）、法国 92 年（1833—1925 年）、美国 67 年（1852—1919 年）、英国 48 年（1870—1918 年）、日本 35 年（1872—1907 年），全面普及义务教育所花费的时间则更长。从 1986 年到 2011 年，占世界 1/5 人口的中国用 25 年时间，实现了全面普及义务教育的宏伟目标，对于一个十多亿人口的发展中国家来说，可谓人类历史上的一个壮举，这为新时代中华民族的伟大复兴奠定了坚实基础。1986 年，《中华人民共和国义务教育法》以国家立法的形式正式确立实施九年制义务教育，掀开了我国普及九年义务教育的新篇章。经过 15 年的不懈努力，到 2000 年年底，全国 2 541 个县级行政单位通过“两基”验收，全国 85%以上的人口地区普及了

九年义务教育。2001 年 1 月 1 日，中华人民共和国向全世界庄严宣布：中国实现了基本普及九年义务教育和基本扫除青壮年文盲的战略目标。经过进入新世纪以来近十年的攻坚克难，2011 年我国小学毛入学率达到 104.2%、小学净入学率为 99.8%、初中毛入学率为 100.1%。至此，中国用 25 年的时间全面完成普及九年义务教育的壮举，创造了人类教育史上的奇迹。普及教育的成果惠及亿万中国家庭，为经济社会的健康发展提供人才保障。

三、义务教育总体发展水平正逐步接近世界中等发达国家水平

经过改革开放 40 年的长足发展，我国义务教育改革与发展成效显著，已完成从“穷国办大教育”到“大国办大教育”的转变，目前正积极致力于向“大国办强教育”的华丽转身。从普及与巩固方面来看，2015 年小学学龄儿童净入学率达到 99.95%，超过了中高收入国家平均水平的 94.54%，中学毛入学率 94.30%，超过了中高收入国家平均水平的 93.13%；2017 年九年义务教育巩固率达到 93.8%，并继续保持稳步增长趋势。

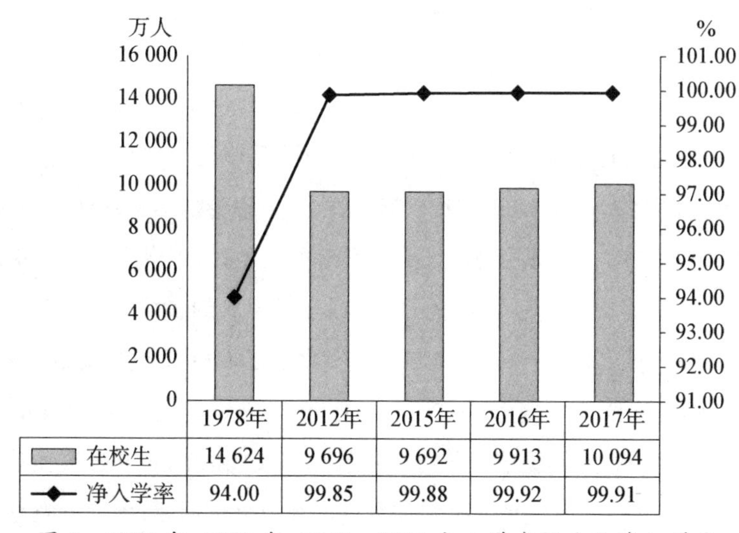

	1978年	2012年	2015年	2016年	2017年
在校生	14 624	9 696	9 692	9 913	10 094
净入学率	94.00	99.85	99.88	99.92	99.91

图 5　1978 年、2012 年、2015—2017 年小学在校生和净入学率

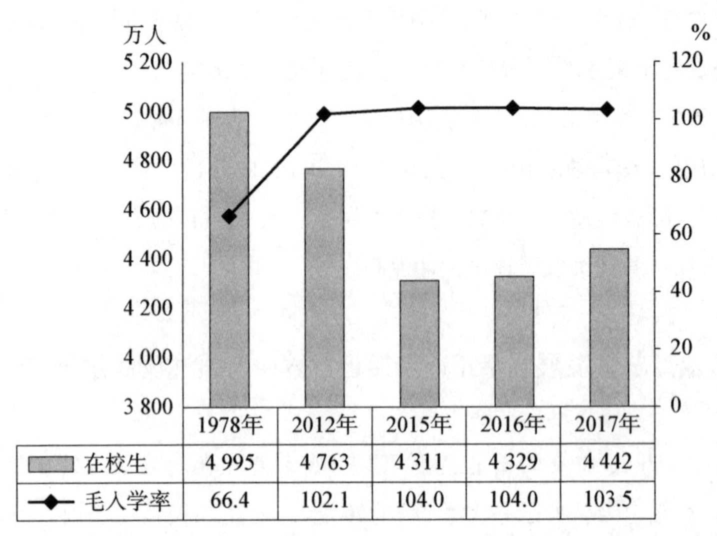

	1978年	2012年	2015年	2016年	2017年
在校生	4 995	4 763	4 311	4 329	4 442
毛入学率	66.4	102.1	104.0	104.0	103.5

图 6　1978 年、2012 年、2015—2017 年初中阶段在校生和毛入学率

从师资条件方面来看，2015 年世界中高收入国家的小学、中学生师比平均值分别为 18. 54、14. 78；G20 国家的小学、中学生师比平均值分别为 18. 63、15. 54；我国小学、中学生师比平均值分别为 17. 05、15. 14，我国小学阶段的师资配比优于中高收入国家平均水平，并超过 G20 国家平均水平，中学阶段师资配比优于 G20 国家的平均水平。

从教育质量方面来看，我国义务教育减负提质效果明显。目前，中国义务教育已走向世界，影响力持续攀升：如英国教育部来华学习和借鉴上海数学教学模式，引进上海数学课本、教师用书及教辅材料，签署中英数学教师交流项目；美国田纳西州到沪访问学习教研组制度；受国家商务部委托，中南出版传媒集团邀请国内顶级团队编写南苏丹小学数学、英语、科学教学大纲、教材及教师用书，创新了国家援外新模式；2009 年和 2012 年上海市参加了 OECD 组织实施的 PISA 测试，数学、科学、阅读均排名第一，2015 年北京、上海、江苏、广东四省市参加了 PISA 测试，数学、科学、阅读成绩分别排名第 6、第 10 和第 27，学生成绩总体名列前茅，超过不少发达国家城市。事实和数据已经充分证明，我国义务教育迅猛发展，义务教育总体发展水平正逐步接近世界中等发达国家水平，并且在部分指标上已实现反超。

第三节　问题与瓶颈：基础教育改革中的短板

一、教育目标偏离，片面追求升学率现象依然存在

受制于社会发展以及历史传统的影响，我国基础教育阶段的中小学仍然存在一些消极现象。以升学为目的，对学习者进行应试训练，只强化学习者对考试知识、一些智力技能的理解与掌握，淡化了德育、体育、美育、劳动技术教育，忽视了学习者兴趣、习惯、情感、道德、价值观等多方面的发展。一些学校以片面追求升学率为目的，过分强调教育的选拔、淘汰和甄别功能，加重了学习者的负担，阻碍了学习者身心健康、和谐发展。

二、教学内容僵化，难以平衡知识的传统性和现代性

基础教育课程内容未能有效回应迅速发展的世界，一方面课程内容"繁、难、偏、旧"的不良状况尚未彻底根除，僵化的知识概念、原理仍是主要学习内容；另一方面未能充分吸收社会政治、科技、文化、生态、经济等诸多领域的新知识，学习者的人文底蕴、审美情趣、思维品质、实践创新、健康生活等核心素养的发展未能得到应有的重视和训练，学习者的批判精神、创新意识以及合作、探究、实践等能力未能得到充分培养，学习者高尚的道德品质、较高的社会责任感未能得到充分发展，课程内容没有真正深入到学习者的精神世界，脱离了学习者的生活经验和学习需要。

三、培养模式僵化，不利于创新型人才多样化发展

基础教育的培养模式总体僵化，对全体学生设立统一要求，开设统一课程，限定统一进度，运用统一教学方式，实施统一教学，采取统一评价标准。这种一刀切"齐步走"的办学，在统一、规范、秩序的外表下，付出的远不只是教育过程的僵化、被动，更重要的是对学生生命的尊重和个性发展的缺失。统一而又僵化的教学训练模式，

很可能会把暂时落后的学生永远抛在后面，严重挫伤他们学习的自信心和进取心，使他们难以从失败者的阴霾中走出来，不利于学生的潜能、创造性和个性的发展。

四、教育评价单一，忽视学生综合素质发展

在中小学，考试成绩依然是主要评价标准，学生良好习惯、健康情感、高尚品德、文化素养等方面的发展总体未能进入评价系统。这种评价实质上是一种以智力为核心的选拔性评价，通过考试，选拔出“智力优等生”，忽视了基础教育培养良好素质、健全人格的合格公民的使命。在残酷的考试选拔与竞争淘汰过程中，学生善良、友好、互助、感恩、爱心等美好品性未能得到充分激励，不利于个体和社会和谐可持续健康发展。

第四节　模式与驱动力：基础教育发展的推动力量

一、政府主导，分级管理

中央政府领导下实行分级管理，是义务教育改革与发展中国模式的重要特色。我国义务教育实行国务院领导、省级统筹规划、县级具体实施的管理体制，政府的责任分担贯穿义务教育改革与发展的始终。国务院即中央人民政府，统领整个中国义务教育的发展；省级政府是地方最高行政机关，对义务教育负有首要责任，负责统筹和组织协调省域内义务教育工作；县级政府对本地区义务教育发展负有主要责任，因地制宜具体负责义务教育实施工作和经费管理等。义务教育改革与发展一般是由上级政府提出工作目标、方案和思路，并逐级传达、强力推行，同时提供保障机制、监控实施过程、评价实施效果，将考核结果纳入下级部门或单位政绩考评或物质奖励的重要依据。我国义务教育“政府主导、分级管理”的体制，是在实践发展中逐步形成的。1986 年颁布的《中华人民共和国义务教育法》规定：“义务教育事业，在国务院领导下，实行地方负责，分级管理”；2001 年《关于基础教育改革与发展的决定》提出，新的农村义务教育管理体制应当“在国务院领导

下，由地方政府负责，分级管理，以县为主”；2006年新修订的《中华人民共和国义务教育法》规定：“义务教育实行国务院领导，省、自治区、直辖市人民政府统筹规划实施，县级人民政府为主管理的体制”，以法律的形式对义务教育管理体制进行规定，实现了义务教育管理体制从“以乡镇为主”到“以县为主”的转变，有利于充分发挥政府的领导力和凝聚力，全面推进大规模的义务教育变革。例如，2011年和2012年教育部先后与31个省（区、市）及新疆生产建设兵团签署了义务教育均衡发展备忘录，其后各省级政府又和辖区内市级或县级政府签署义务教育均衡发展责任书，对不能如期通过验收的县级部门的相关领导实行免职，将本省份确定义务教育均衡发展的目标、任务和责任层层分解、逐级落实，从而构建了中央和地方共同推进义务教育均衡发展的长效机制。

二、协同一致，合力攻坚

社会主义制度的优越性就在于集中力量办大事，体现在义务教育上就是集中各方力量发展义务教育，即凝聚主要力量，协同一致、合力攻坚。义务教育改革发展是一项庞大的系统工程，离不开广大人民群众的积极参与和配合、社会各界的积极参与和支持，“‘普九’是一场持续时间长、参与人数多、自上而下的国家工程，各级领导高度重视，很多地方的党政主要领导靠前指挥，对这项举国工程予以高度重视。教育、财政、发展改革等部门明确职责，合理分工，协调配合。”20世纪八九十年代，在义务教育发展过程中地方政府、学校、社会力量、广大人民群众等对教育的热情被充分调动。特别是在广大农村地区，人民群众纷纷打出“再穷也不能穷教育”的口号，有钱的掏钱，有力的出力，有物的捐物，实现了“人民教育人民办”，为打赢“普九”攻坚战奠定了坚实的基础。近年来，教育部联合财政部、发改委等部门开展多项义务教育专项治理活动也是协同一致、合力攻坚的真实写照，如巩固义务教育普及成果、推进义务教育均衡发展、治理义务教育择校难题、减轻学生课业负担等；各省、自治区、直辖市及相关部门纷纷出台配套方案，确保重点突破；在具体落实层面，地方、学校因地制宜，积极探索适合自身实际的发展路径，涌现出一批先进典型经验。如在控辍保学方面，广西壮族自治区凭祥市根据国家和自治区的要求，以及边境地区稳边固边和边境群众子女入学需求，采取“边境一线校点全部保留”、“城乡教师互换讲台”、学生上学“零负担”等措施，增强义务教育办学吸引力，控辍保学，严防边境地区农村空心化，固疆守土，成效显著；西藏浪卡子县中学积极落实义务教育普及与巩固的要求，探索西藏高寒边境牧区送教下乡确保“控辍保学”模式，对民族地区乃至广大农村地区具有普遍的借鉴意义。这些典型经验就是政府、学校、家长及社会协同一致、合力攻坚取得的成果。

三、分类指导，稳步发展

发展过程中采取了因地制宜、分区规划、分类指导、分步实施的原则。如在普及义务教育方面，20 世纪八九十年代，国家明确要求“有步骤地实行九年制义务教育”，并依据经济社会和教育发展状况，把全国划分成三类地区，分别做出相应要求、部署，这一工作思路促使三类地区因地制宜、合理规划区域内义务教育发展，推进了“普九”的实现。进入 21 世纪，我国进一步遵循实事求是原则，有计划、有步骤地普及和巩固义务教育。又如在推进义务教育公平发展方面，改革开放初期，我国义务教育发展体现“效率优先”原则，鼓励一部分“重点校”先发展起来。随着 2000 年基本普及义务教育后，关注重点逐步转向教育公平，更加注重“均衡发展”，2005 年教育部颁布《关于进一步推进义务教育均衡发展的若干意见》，将县域内义务教育均衡作为工作的重点。当大部分地区实现“基本均衡”以后，2017 年，教育部关于印发《县域义务教育优质均衡发展督导评估办法》的通知，关注点再次转向“优质均衡”。可以说，中国义务教育领域里的重大举措大都是先试点、再推广，分步实施、稳步推进的。这种实事求是、渐进变革的策略符合事物发展的客观规律，是我国基础教育改革与发展少走弯路的重要保障。

第五节　观察与思考：政策展望及建议

一、继续将基础教育摆在优先发展的战略地位

党的十九大报告重申“优先发展教育事业”“必须把教育事业放在优先位置，

深化教育改革，加快教育现代化，办好人民满意的教育”。习近平总书记指出：“当今世界的综合国力竞争，说到底是人才竞争，人才越来越成为推动经济社会发展的战略性资源，教育的基础性、先导性、全局性地位和作用更加突显。”新时代，基础教育扮演的角色更为重要，需要继续优先发展教育事业，不断提高综合国力。从实现“两个一百年”奋斗目标来看，现在的青少年儿童在实现第二个百年奋斗目标过程中，会成为社会建设的中间和骨干力量。虽然近年来国家对义务教育的经费投入逐年增加，但人均教育经费与发达国家相比还有一定的差距；我国义务教育发展区域、城乡、学校差距仍较大。鉴于此，应仍保持将基础教育摆在优先发展的战略地位，优化顶层设计，加大经费投入，多措并举，大力促进义务教育均衡发展，逐步缩小区域、城乡及校际差距，推进教育精准扶贫，加速人力资本积累，为国家和民族的未来发展奠基。

二、研究新时代基础教育发展的新战略，关注教师质量提升

经过四十年的发展，我国基础教育取得了巨大成就，教育资源得到极大丰富，义务教育全面普及，国民素质也切实提高，教育质量得到了世界的公认。与此同时，由“政府主导、分级管理实施”的发展战略几乎成为基础教育中国模式的核心经验。随着中国社会进入新时代，原有的基础教育发展模式面临着新的战略抉择。

我国基础教育起步于“穷国办大教育”、地域广发展不平衡、计划体制背景下的户籍管理等国情。几十年来，随着社会的进步和发展，上述国情发生了重大变化，虽然采取了“增加转移支付力度”、加强教育扶贫等举措，但是其边际效益日益降低。尤其是随着城市化的快速发展和人口流动的客观加剧，基础教育必须研究和寻找新时代的发展战略。诸如引入义务教育标准、对贫困地区实施专项管理模式、设置教育特区探索教育均衡发展新模式等。另一方面，四十年基础教育走过了普及义务教育、实施素质教育、探索课程改革等几个阶段，未来走向新时代高品质的教育离不开高水准的教师队伍，因此亟需研究和探索高素质教师队伍建设，进而提升教育而是和内涵的新教育发展实践模式。

三、注重发展性，促使传统性与现代性内容协调兼容

传承人类文化遗产。通过对传统基础教育课程内容的学习，学习者能够较好地掌握知识，了解历史进程，理解现实。在历史发展的过程中，传统基础教育课程内容对社会经济、文化、科技等多方面、多领域的发展产生了重要影响，推进了社会生产、人类生活。随着我国现代化进程的推进、科学技术的迅猛发展，传统的基础教育课程内容已不再适用。我国基础教育的根本任务和目的是培养学习者的核心素养，促进学习者全面发展、终身学习，实现人与社会的协调、可持续发展。基础教育课程应时刻与基础教育目的保持一致，不仅要关注学科知识、社会发展需要，更要注重满足学习者的发展需求，使内容与学习者的经验、生活密切相连，关注学习者的身心健康、精神世界、生命价值，培养学习者礼貌待人、文明做事、诚信道德、责任担当、乐于助人团结友爱等素养，促进学习者全面发展。

四、遵循教育发展规律，注重学生个性发展

由于中小学生在知识背景、认知能力等多方面存在很大差异，决定了每个中小学生个性的差异，这就意味着基础教育过程不能整齐划一，应鼓励学生个性化发展。因材施教既是教育的智慧，也是对学生个性的承认和尊重。在教育过程中，要采用多种教学方法，以适应不同学生的学习要求，充分调动每一位学生的学习主动性，让他们积极地参与到教学活动中，让每一位学生体验到学习的乐趣。中小学校要采取多种措施促进学生的全面发展，积极建设学生社团，开展校内外体验活动，创设学生展示平台。丰富多彩的学校活动不仅能锻炼中小学生的实践能力，而且有利于促进人文情怀、健全人格、审美情趣、社会责任等素养的培养。

第十章

改革开放 40 年职业教育政策回顾与解读

40 年我国职业教育的发展，大体经历了恢复阶段、迅速发展阶段、内涵发展阶段。以下，我们将对几个主要发展阶段的政策变迁及其影响进行梳理，并对我国职业教育发展过程中存在的问题进行归纳和总结，且以德国、英国等职业教育发达的国家为借鉴，对我国职业教育的发展进行观察和反思。

第一节　导向与举措：相关政策的梳理解读

一、恢复重建阶段(1978—1984)

(一) 政策导向——从中等职业教育起步，以服务现代化建设为宗旨

十一届三中全会明确了党的工作重点转移到社会主义现代化建设，并且确定要解决经济恢复发展急缺技术技能人才这一问题。1978 年召开的全国教育工作会议上，邓小平指出，“应该扩大各级各类学校发展的比例，特别是扩大农业中学、各种中等专业学校、技工学校的比例。”明确了扩大职业技术学校的比例这一总体政策方向。1981 年，中央领导又进一步指示，职业技术教育由此有了初步发展，到 1982 年，全国城市职业中学(班)、职业(技术)学校在校学生已达 35 万余人，普通高中在校学生的比例已达 1∶5，职业教育各类学校面貌也大为改观。

与此同时，高等职业技术教育也悄然启动。1980 年出现了金陵职业大学、天津职业大学等学校，开创了高等教育领域的新疆域，这些学校更直接为当地经济发展服务。

(二) 具体举措——完善学校结构布局，着力兴办职业中学和技校

这一阶段主要的措施包括：第一，恢复发展中专和技校；第二，新建并大力发展职业高中。

1980 年，国务院转批的《教育部、国家劳动总局关于中等教育结构改革的报告》明确了中等教育结构改革的方针和要求，目标在于使各类职业（技术）学校的在校学生数在整个高级中等教育中的比重有大幅增长；同时设定了改革的内容和途径，在普通高中增设职业（技术）教育课，将部分普通高中改办为职业（技术）学校、职业中学和农业中学，引导各行各业办相关学校，在大中城市试办职业技术教育中心，发展技工学校并努力办好中等专业学校；提出亟需解决的具体问题：包括在毕业生的安排中可以选择推荐录用也可以自由选择职业，可以报考高等院校并在同分数段内优先录取，提出设立专项经费，确定教职工为事业编制，明确职业学校开办和审批的程序等。

同年，中共中央、国务院发布了《关于加强和改革农村学校教育若干问题的通知》则提出发展农村各类职业学校，将文化科学知识和专业知识技能以及最切实的劳动活动紧密结合，并明确规定办学中职业技术课的比重不少于 30%，课程要注意联系生产实际。同时建设专业课教师队伍，选调科技人员担任教师，重视已有教师的培训，大专院校和中等专业学校也要分配一定比例的毕业生到农村各类中学任教。

而在 1983 年教育部联合财政部、原劳动人事部、原国家发展计划委员会颁布的《关于改革城市中等教育结构、发展职业技术教育的意见》中，又明确了几个需要解决的问题，包括确立职业技术教育的地位和发展方向，目标在于使各类职业技术学校在校生与普通高中在校生的比例大体相当。在先培训后就业的总体思路下，也提出了一些过渡措施，包括国家不统包统配，并鼓励单位择优录取。明确了解决发展职业技术教育的经费问题、师资问题、教材问题。

二、迅速发展阶段(1985—1997)

(一) 政策导向——改变中等教育结构，完善职业教育专业设置，助推社会经济发展

进入上世纪八十年代中后期，中等职业技术教育的发展已初具规模，水平也

逐渐提高。到1990年底各类职业技术学校已达16 000多所，在校生超过600万，同时全国建有就业训练中心超过2 100所，每年培训待业人员90多万，高中阶段各类职业技术学校和普通高中的招生数之比已经接近1∶1，中等教育结构单一的状况得到了改善。即便如此，职业技术教育在规模、规格和质量上还不能完全适应经济建设和社会发展需要，存在受重视程度不够、配套政策不健全、管理体制不明确、资金投入不足、办学条件有限、服务支持体系薄弱、高水平示范性学校少、专业设置结构与社会需求结合不够紧密等问题。

1985年颁布的《中共中央关于教育体制改革的决定》提出"以中等职业教育为重点，同时积极发展高等职业教育，逐步建立一个从初级到高级、行业配套、结构合理，又能与普通教育相互沟通的体系。"从而明确了职业教育的地位、作用和任务。1986年第一次全国职业教育工作会议的召开，标志我国职业教育步入迅速发展时期。

（二）具体举措——职业教育体系内部进一步完善，层级间实现衔接

根据《中共中央关于教育体制改革的决定》的要求，改变经费划拨的形式，从直接向学校划拨转为根据学生数量核算划拨，并进行专项补助。

1991年国务院发布《关于大力发展职业技术教育的决定》，提出努力办好现有各类职业技术学校，广泛开展短期职业技术培训，在普通教育中积极开展职业指导，重视并积极发展对在职人员进行职业技术培训等要求。同时指出，支持中专深化改革，办出特色，提高质量；在农村地区推进农村教育综合改革；鼓励社会力量参与发展职业教育；加强国际合作等。根据这一决定，职业教育的发展需注重内涵建设，提出对德育居首，面向社会，改革教学，稳妥分配，建设师资，加强管理等方面的重要关切。

1996年我国第一部职业教育法《中华人民共和国职业教育法》颁布，该法明确将我国职业学校分为初等、中等和高等，确立了职业教育在中国教育体系中的法律地位。高等职业技术学校的发展打通了中等教育和高等教育的衔接通道，培养经济建设所需要的高等技术应用型人才。

三、内涵发展阶段（1998至今）

（一）政策导向——完善细则深化内涵，助力产业结构转型

在世纪之交，中国经济体制面临进一步转型，产业机构调整导致大量企业关

停和“下岗工人”的出现。在这一阶段，原有的学校布局结构已经不能继续适应经济建设、经济体制改革及教育体制改革的需要，严重制约着我国中等职业教育的进一步发展，调整中等职业学校布局结构势在必行。同时，由于 1994 年国务院颁布了《中国教育改革和发展纲要》，使毕业生的工作由国家分配被明确取消，自主择业双向选择模式成为主流。同时，高校扩招也使高职流失了相当一部分的生源。

1998 年《面向 21 世纪教育振兴计划计划》中提出通过“三级分流”建立初、中、高相互衔接的职业教育体系，定调基本方针为对现有的高等专科学校、短期职业大学和独立设置的成人高校进行改革、改组和改制，并选择部分符合条件的中专改办。1999 年《试行按新的管理模式和运行机制举办高等职业技术教育的实施意见》明确了高职办学机构来源，职业大学、职业技术学院、高等专科学校、普通本科院校二级职业技术学院、部分重点中专、成人高等学校“六路大军办高职”的局面基本形成。

2002 年全国职业教育工作会议针对中职招生数锐减等问题，出台了《国务院关于大力推进职业教育改革与发展的决定》，提出一系列目标以适应社会和企业需求。2004 年教育部《关于以就业为导向，深化高等职业教育改革的若干意见》中指出要积极开展订单式培养以建立产学研结合的长效机制，大力推行“双证书”制度以促进人才培养模式创新等一系列纲领性的指导意见。

进入本世纪，党的十六大提出“走新型工业化道路”，产业形态发生变化，因此职业教育也在规模发展的基础上，将质量问题提上议事日程，全面转向内涵发展。教育部印发了《中等职业教育改革创新行动计划（2010—2012 年）》，以切实增强中等职业教育大规模培养高素质劳动者和技能型人才的能力，大幅度提升其支持经济发展方式转变、产业结构调整升级、企业生产技术革新及参与国际合作与竞争的能力。2012 年《国家教育事业发展第十二个五年计划》再次强调构建现代职业教育体系试点。

此后，职业教育改革一方面继续聚焦质量提升、优化人才培养，在教育部《关于深化职业教育教学改革全面提高人才培养质量的若干意见》中提出，要围绕“互联网 + ”行动、《中国制造 2025》等要求，适应新技术、新模式、新业态发展实际；另一方面也在不断创新和拓展职业教育的新功能和新道路，特别是随着“一带一路"倡议的提出，中国职业教育的国际关注度日益提升。此外，在《高等职业教育创新发展行动计划（2015—2018 年）》中，提出了"增加国家软实力"相关的切实路径。

（二）具体举措——完善产学结合办学体制，拓展职业教育新领域

以具体计划带动中等职业教育的改革创新是这一时期的特点，1999 年教育部印发了《关于调整中等职业学校布局结构的意见》，细化了中等职业教育的布局结构，要求改变"条块分割"的中等职业学校布局结构，要求对学校进行合并、共建、联办、划转等。2006 年，教育部、财政部启动了"国家示范性高等职业院校建设计划"，遴选 100 所高职院校进行重点建设，这项计划被誉为中国高等职业院校建设的"211 工程"。作为后续，教育部和财政部联合下发了《关于进一步推进"国家示范性高等职业院校建设计划"实施工作的通知》，在原有已建设 100 所国家示范性高等职业院校的基础上，新增 100 所左右国家骨干高职院校，以继续推进这一计划。2010 年的《中等职业教育改革创新行动计划（2010—2012 年）》又提出重点实施的"十大计划"，确立了下一时期具体的战略方向。

培养体系的整体提升是内涵发展的重要方面。2014 年教育部发布了《关于开展现代学徒制试点工作的意见》提出着力构建现代学徒制培养体系，全面提升技术技能人才的培养和水平。并于 2015 年起分两批布局了 364 个现代学徒制试点，覆盖 600 多个专业点及 5 万多名学生。2015 年教育部发布的《关于深化职业教育教学改革全面提高人才培养质量的若干意见》中提出遴选和建设一批国家产业发展继续的示范专业点，重点打造一批能够发挥引领辐射作用的国家级、省级示范专业点，带动专业建设水平整体提升。为推动学校专业设置优化，2017 年教育部修订了中等职业学校专业目录并于 2016 年启动了实施职业教育产教融合工程规划项目，2018 年教育部等六部门印发的《职业学校校企合作促进办法》力图进一步完善职业教育和培训体系，深化产教融合和校企合作，提供了更多可参考的合作形式，鼓励技能竞赛，使促进措施和监督措施进一步具体化。

师资建设在这一时期凸显出与行业发展紧密结合的特点，2002 年教育部办公厅《关于加强高等职业（高专）院校师资队伍建设的意见》中明确其建设目标，提出要改善师资队伍学历结构，建设实践能力强、教学水平高的兼职教师队伍，建设理

论基础扎实并有较强技术应用能力的“双师型”教师队伍，并进一步加强高职高专教师的培训培养工作。同年，教育部、原国家经贸委、劳动和社会保障部《关于进一步发挥行业、企业在职业教育和培训中作用的意见》强调要鼓励企业、行业举办职业教育，鼓励和支持民办职业教育的发展，在师资和培养方面进行多元化的挖掘。2011 年教育部、财政部的《关于实施职业院校教师素质提高计划的意见》全面启动了职业教育教师队伍建设重大项目。为促进职教教师队伍进一步规范化、制度化，对其发展性建设能提供政策规范，教育部印发了《职业学校兼职教师管理办法》并对其选聘条件、聘任程序、组织管理、保障措施都进行了具体的规定。2013 年教育部印发《中等职业学校教师专业标准(试行)》，作为新中国成立后首个针对中职学校教师制定的专业标准，对其专业理念与师德、专业知识、专业能力等基本内容都进行了规定，以促进职教师资整体素质的改善。2016 年教育部、财政部《关于实施职业院校教师素质提高计划(2017—2020 年)》强调将中央引领、地方为主；对接需求，重点支持；协同创新，注重实效；规范管理，确保质量等价值内容作为实施的重要原则。

针对“职业教育具有一定公益性”的特质，以及“以教育促动公平实现和脱贫攻坚”的理念，1998 年原国家教委印发的《关于加快中西部地区职业教育改革与发展的意见》提出增强发展职业教育的紧迫感，探索符合中西部地区实际的职业教育模式，建立有效运行机制，鼓励东部地区与中西部地区之间开展多层次多形式的职业教育交流与合作，加强师资建设和教育投入。2004 年国家发展改革委员会、教育部、劳动和社会保障部印发的《关于组织制定推进职业教育发展专项建设计划的指导意见》，将县级职教中心纳入了专项计划之中，并逐步发展成为了农村劳动力转移培训基地。国家政策积极扶持农村职业教育，大力培养新型职业农民。2006 年财政部、教育部《关于完善中等职业教育贫困家庭学生资助体系的若干意见》出台，建立了一系列奖助学金、勤工助学、延期支付学费及助学贷款的制度。2016 年教育部、国务院扶贫办联合印发《职业教育东西协作行动计划(2016—2020 年)》，该计划及其实施方案的出台进一步加大了职业教育东西协作工作力度，更好发挥了职业教育在脱贫攻坚中的重要作用，为完成“发展教育脱贫一批”重要任务、打好教育脱贫攻坚战奠定坚实的基础。《深度贫困地区教育脱贫攻坚实施方案(2018—2020 年)》也提出全面落实东西职业院校协作全覆盖行动、东西协作中职招生兜底行动、职业院校参与东西劳务协作三大任务。

职业教育在这一时期也逐步走向了规范化和国际化，以进一步配合产业结构多元化的需求。2004 年教育部联合国家发展改革委员会、财政部、人事部、劳动保障部、农业部、国务院扶贫办印发了《关于进一步加强职业教育工作的若干意见》，为进一步落实《关于大力推进职业教育改革与发展的决定》，建立了职业教育工作部际联席会议制度，这一跨部门合作机制成为重要的体制创新。2015 年发布的《关于深入推进职业教育集团化办学的意见》提出“要服务国家‘一带一路’倡议”，其中特别提出鼓励和支持职业院校、行业企业、科研院所等组成职业教育集团“走出去”，通过在国外独立办学或合作办学，提升中国职业教育国际影响力和产业国际竞争力。

第二节　职业教育面临的问题与挑战

一、职业教育体系层次缺失，中高职定位模糊

我国当前面临着产业升级的重大经济转型挑战。产业升级必须依赖于技术进步，对高级技术型人才的需要已经成为我国特别是北京、上海等经济发达地区企业的现实需求。虽然大专层次的技术教育能够基本维持我国企业当前的正常运作，但如果我们希望发展以国际尖端技术为基础的企业，希望全面提高企业的技术水平和产品质量，并进一步提高现有技术人员的技术能力，那么发展本科层次的技术教育是必需的。因此，缺少更高层次的职业教育，尤其是技术本科教育，已经成为我国职业教育体系层次结构中的突出问题。

此外，各级各类职业教育都应有明确的人才培养目标。但在当前我国的职业教育体系中，各级各类职业教育的定位不够清晰，尤其表现为中高职培养目标不清晰、差异度小。从理论上讲，中职的人才培养定位应该是技能型人才，高职专科的人才培养定位是技术员系列的技术型人才，技术本科的人才培养定位是技术师系列的技术型人才。然而，现实中许多中职学校还未能适应这种角色转变。高职院校在办学过程中也陷入困境，难以摆脱普通本科教育的影子，成为普通本科的

“压缩饼干”,然而在强调技能和就业后,又矫枉过正,一定程度上与中职培养目标趋同。一些高职课程的难度和广度甚至还不如中职,出现了“倒挂”现象,高职的“高等性”未能得到充分体现。

二、缺乏纵向衔接与横向通融,职前职后协调不一

职业教育体系应该是一个纵向相互衔接、横向相互沟通的、立体的、灵活的体系。从纵向衔接来考察,当前我国的职业教育体系还未能实现纵向的顺畅流动,这体现在升学制度和课程体系两方面。

在升学上,中职升高职、高职升本科、专升本考研究生,职业院校学生在每一个升学环节都要遭遇难关。纵向衔接不畅也体现在课程上。不同层次的职业教育课程重复、甚至倒挂情况比较多。其原因在于培养目标定位不清、生源不整齐、缺乏指导性的课程标准、学年制的限制等。从横向融通的角度考察我国职业教育体系,当前的主要问题是普职之间仍然存在较大的流动障碍,且融通性不足。这一缺陷使我国教育体系难以实现人的多元选择和全面发展。普职之间的流动显示出较明显的单向性,即普通教育向职业教育流动容易,职业教育向普通教育流动困难。

在职前职后教育的发展过程中,职前教育主要依托职业学校的正规教育,职后教育虽然也大规模开展,如企业培训、社会培训、成人教育中的职业教育等,目前,我国的职前和职后教育基本上处于相互不协调、不沟通的状态。职业资格体系、学历职业教育以及职业培训三者之间还没有形成和谐统一的有机整体。一方面,我国职业资格证书体系还不完善,证出多门、互不认可的情况比较普遍;另一方面,虽然当前许多职业学校实施“双证”教育,但仍有许多地方未能与劳动力市场的真正需求接轨。其毕业生进入劳动力市场后,不能完全胜任工作岗位,需要继续接受培训。职业院校、企业培训、社会培训之间缺乏相互认可的机制,造成许多重复学习。总之,我国当前职业资格证书体系本身的不完善以及职前职后教育未能充分参照职业资格证书体系的情况,影响了职前职后教育的一体化,造成了教育资源浪费。

三、校企合作缺乏长效机制，产教融合不够深入

党的十九大报告指出，职业教育面临的挑战是深化产教融合和校企合作。中央一再强调，要采取多种措施，引导和支持社会力量特别是工业企业参与办学，然而，目前社会资本和工业企业参与职业教育普遍缺乏激励政策和内生激励措施，大部分校企合作呈松散型、浅层次，合作内容和形式单一。究其原因，一方面，职业院校和地方本科院校的整体科研水平较低，应用研究力度不强，长期以来我国普通本科院校"重科学轻技术"的学术文化对职业院校产学研开发产生了极为不利的影响，生产、教育和科研能力不足已成为职业院校发展的"短板"。另一方面，职业院校教师的应用性科研水平低，无法把研究成果带到教学中，与企业生产结合并转化为现实生产力的科研成果更少之又少，这也制约了职业院校自身服务社会、服务地方经济的能力。另外，地方政府对大学、研究机构的合作也缺乏体制性激励，校企合作与工学结合尚未得到广泛实施，影响了职业教育发展的质量。

四、人才培养难以满足需求，专业与产业脱节

教育部部长陈宝生在 2018 年全国"两会"上再次提到将学校建在开发区，实现职教"需"与"求"的紧密结合。只有在产业链上培养专业人才，才能了解产业发展的现状。只有在开发区才能了解开发区人才的需求及供应。当前我国许多职业院校办学的地方性、区域性特点不够突出，未考虑地方产业结构与市场需求情况，盲目与普通本科院校学科设置相比，使专业链与产业链脱节，培养的职业人才适应社会的能力差，最终导致职业院校毕业生就业困难。职业院校的趋同性十分明显，盲目追求本科教学模式；对教师的评价"重科研、轻教学"，集中于对科研成果的核算，致使学校和教师对教学过程的投入不够，在一定程度上影响了人才培养质量。另外，部分地方职业院校在人才培养过程中不能较好地体现与当地产业和行业的融合，课程教学内容脱离实际生产和生活，导致毕业生的素质和知识结构与市场需求不匹配，动手能力较差，不具备与就业岗位匹配的素质，这也加剧了

就业困难。

五、职业教育质量不高，亟待由量到质的跨越

当前，学生培养质量不高，学校专业设置的合理性、学校特色问题等越来越受到人们的广泛关注和质疑，这也成为职业教育改革和整顿的主要方向。近年来，虽然本科毕业生初次就业率达到80%以上，但专科毕业生初次就业率低于40%，部分省份甚至不足10%。2006年，教育部《关于全面提高高等职业教育教学质量的意见》和《关于实施国家示范性高等职业院校建设计划加快高等职业教育改革与发展的意见》明确提出“要适当控制职业院校招生规模的增加，相对稳定招生规模，强化内涵，切实抓好提高质量”。教育部2016年4月发布了《中国高等教育质量报告》，明确指出中国高等教育存在质量问题。因此，提高职业教育质量，满足社会对优质教育资源的需求，是职业教育亟待解决的问题。

六、东西部发展差异较大，教育资源分配不均衡

我国社会的主要矛盾已经转化为人民日益增长的美好生活需要和不平衡不充分发展之间的矛盾，我国职业教育“东强西弱”正是发展不平衡、不充分的体现。一些省份创新推动政策落地，如各地落实创新行动计划存在明显差异，全国有20个省制定了省级实施方案行动计划，但河北、安徽、江西等省未安排省级财政专项资金。在经费方面，职业院校人均财政拨款水平差异很大。2006年，全国990所公立职业学院中60%以上的生均拨款不足1.2万元，甚至还有74所院校低于3 000元。除此之外，生均公共财政教育支出地区差距也很大。2016年，我国19个省的人均教育公共财政平均支出超过12 000元。在北京和上海，人均公共财政教育经费已超过2万元，其他12个省人均公共财政教育支出不到12 000元，山西、湖南等中西部4个省份不到1万元，公共财政教育经费存在较大差异。

第三节 职业教育的国际经验

一、德国双元制职业教育模式

德国对专业人才的需求量是学术人才的10倍，德国工业和经济的发展与其双元制职业教育模式互相支持、互相成就。德国职业教育起源于学徒培训的实际需要，由政府、行业、企业、职业学校共同参与，与生产岗位天然一体，具有行会等体制机制的保障等。德国模式中扮演最主要角色的是企业和行业，总体上具有四个方面的显著特色：一是政府、行业、企业、学校多方参与、责任清晰、分工明确，企业是具体实施的主体，行业工商业行会代表着企业利益，担任着技能资格认证和监管准公共权力的角色从而参与职业培养方案的商定，行业协会力求最大限度地满足多个利益相关方的诉求，并通过政府立法将协商方案提升为国家制度，增加执行中的强制性力度。二是学习与生产实践紧密结合，在3年至3.5年的学习时间中，学生主要是在企业进行实践技能训练，直接操作生产机器设备，真正实现了学习与生产需要的"无缝对接"；三是双元制职业教育培训是一个开放式体系，面向所有有需求的普通初、高中毕业生，甚至是已取得大学入学资格的学生，同时那些已接受了双元制培训的学生也可以通过文化课补习进入高等院校学习；四是培训经费有保障，企业承担了大部分的培训经费。

二、澳大利亚TAFE职业教育体系

技术与继续教育学院(Technical and Further Education，TAFE)是澳大利亚职业教育的中流砥柱。TAFE模式涵盖了职业教育、培训和继续教育，整合贯通了劳动力培训、职业资格标准、职业教育与基础教育衔接以及终身教育等各环节。TAFE由国家资助，以被行业认可的培训包的形式提供2 000种不同的课程，培训过程首先制定能力标准，然后设置学习流程。学生学习过程可能是在机构、大学、工作场所联合进行，最后进行评估，考核合格后获得证书。TAFE的特点如下：一

是发挥行业组织在职业能力标准制定中的作用。在国家训练局的协调下，澳大利亚设有21个全国性行业培训咨询组织。这些组织进行本行业的就业需求预测和职业分析，制定职业能力标准，向TAFE以及其他教育和培训机构提供专业、课程和教学依据。二是高效率地利用教育资源，拨款机制是职业教育的指挥棒。澳大利亚政府把职业教育看作具有高附加值的公共投资项目，把职业教育作为产业品牌来经营推广，每年采用高效率的商业化形式，把教育和培训当成“特殊商品”向学院拨款，即如果学院教育和培训质量高、适应社会需要、经费成本低，政府就向该学院拨款，“购买”学院的教育和培训。私立企业和教育培训机构也参与竞争。三是建立完善的学历资格框架，即澳大利亚学历资格框架（Australian Qualifications Framework，AQF）。其主要职能是对非义务教育的教育机构进行注册登记，认证所有的高等教育机构，将高等教育、职业教育和学校紧密联系起来，提供从中学文凭到博士学位的一整套学历晋级标准。四是建立职业教育质量评估体系，即澳大利亚职业教育质量评估框架（Australian Quality Training Framework，AQTF），为全国的培训单位提供运行质量标准。

三、英国现代学徒制

英国现代学徒制的基本经验和特征在于以雇主为主导的培养制度，建立与高教系统相契合的现代学徒体系等。英国现代学徒制有以下几个特点：一是理论课与实践课的比例为3∶7，在企业实践现场，会由经验丰富、技能扎实的师傅来对学徒进行一对一、手把手的操作训练，并全程监督学徒的实践情况。二是坚持以企业雇主作为自身的制度主导和实施主导，企业雇主是现代学徒制中所有项目制定与开发的主导者，是现代学徒制标准的主要制定者，对行业标准、学徒的技能素质、道德素质以及职业发展能力等做出清晰明确的规定。三是以第三方权威认证机构的考评来保障教育质量，以凸显学徒制的部分公共性。

四、国际上成功的职教模式带来的启示

纵观其他地区成功的职业教育模式，我们发现有以下共同特征：一是企业的

广泛参与和行业的坚强引领，包括参与职业教育的课程设计、质量标准、结业评价等关键方面，也因此让这些职业教育模式十分灵活，得以时刻跟着市场反应和需求而调整；二是重视实践培养，职业教育多数情况下都在实际工作场景中进行并且由一线企业员工充当老师；三是整个职教培养体系的开放程度高，与普通教育、高等教育等衔接融合，打通和拓宽学生的升学、就业通道。

我国的职业教育制度在制度形成过程中缺少一种多元利益相关方参与的协商机制。由政府相关部门顶层设计的职业教育模式，通常依靠行政力量推动实施。因此也只能在本部门的行政管辖范围内产生一定的强制力，对于部门行政管辖范围之外的利益主体则较难产生约束力。

现阶段，我国技能劳动力市场的供给从原先的计划体制中由职业教育学校培养与厂内师徒制教育共存，转为以职业院校培养为主导的供给方式。政府领导下的职业院校是我国职业教育主要的利益相关者，承担了职业技能教育的主要工作，而企业在职业技能教育过程中无法对政府和职业院校产生足够的影响力并参与其中的博弈。代表工人利益的工会也较难发挥自身的影响力。由于无法满足自身的利益需要，企业和工人在实际行动上并不支持这样的职业教育制度，也缺乏服从这一制度的动机。另外，由国家投入办学的职业教育模式容易造成教学过程、教师和课程内容脱离企业和工作场所的实际，进一步使企业与职业院校的校企合作和产教融合缺乏动力。

第四节　观察与思考

一、加快产业升级，发挥高端产业对职业教育的引领作用

高技能人才的成长并非一蹴而就，从“新手”到“专家”的道路是漫长且艰辛的，因而长期性是高技能人才成长的主要规律。高职教育并不是万能的，只是高技能人才漫长成长过程中短暂的一站，无法承担高技能人才成长复杂的全过程。所以，其长期性主要表现为高职教育后以企业实践与培训为主的漫长“质变期”以及高职教育前以基础教育职业启蒙与职业渗透为主的“萌芽期”。首先，高技能的

现代内涵要求“新手”不仅需要专业技能与特殊技能的长时间积累,从而实现技能由量变到质变的飞跃,而且需要“新手”将自身的情感素养与通用技能等贯穿至技能积累的全过程。简言之,不同技能的拓展、组织与重构才能真正实现技能之高。

职业教育之间的校企合作难以长久维系或效果欠佳,主要是因为职业教育所依托的行业难以持续、稳定、有效的发展。目前职业教育所依存的企业大多是中小型劳动密集型产业,这些产业有的是自身基础较为薄弱,发展态势不是十分乐观,对人才的需求自然就少之又少,职业教育以此为基础的发展就会“先天不足”。有的企业整体发展态势虽好,但是面向职业教育的需求主要是中低端劳动力,这也导致职业教育成为普通劳动工人的“加工厂”,而不是向企业输出真正的职业技师人才,存在“后天畸形”的风险。这也是人们较为诟病的一点。职业教育所培养的不是真正的“职业”工程师,就业前景令人堪忧。只有改变这种现状,以高端产业为职业教育发展的基石,才能在根源上解决职业教育发展的弊端。高端产业自身发展较好,对人才的需求多种多样,这就解决职业教育人才培养的单一模式,保障就业渠道的畅通。此外,打破以往职业教育培养中低端劳动者的固化模式,高端产业通过校企合作的方式让学校成为高端人才的培养基地,实现校企供需的良性循环模式。

二、加快建设高水平应用型大学,推动职业教育转型发展

2014 年 6 月,国务院出台《关于加快发展现代职业教育的决定》,明确提出要培养应用技术型人才,引导部分高校向应用技术型大学转型,为地方本科院校的发展指明了方向。2015 年 10 月 23 日,教育部、国家发展改革委和财政部发布《关于引导部分地方普通本科高校向应用型转变的指导意见》,紧紧围绕创新驱动发展、中国制造 2025、互联网 + 、大众创业万众创新、“一带一路”等国家重大战略,进一步加快产教融合,带动职业教育的转型。

破解职业教育转型难题,重点在于完善和落实深化应用型大学产教融合体系和制度。首先,加快战略目标的转型升级。明晰“高水平应用型大学”的办学目标,更加注重探索“产教融合、产学研用一体化”特色发展道路,打造与地方、行业、区域“协同办学、协同育人、协同创新”的升级版。其次,完善结构布局的转型升

级。以提升人才培养供给与经济社会需求之间的供求匹配度为目标，推进专业结构调整，优化专业布局，把校企合作贯穿于应用型人才培养的全过程，紧紧围绕产业所需的关键技术、核心工艺和共性问题开展协同创新。最后，教学手段的转型升级。鼓励应用型大学设立职业综合实验中心，打造创新性实验实习平台，提升高素质工程应用型人才培养的水平和能力，推动大学生创新创业教育与实践，持续完善高标准的应用型人才培养体系。

三、重点发展高等职业教育，带动中等职业教育发展

高职教育是人才输送的出口，中职教育则是高职教育人才的“绿色通道”。在高职教育发展良好的前提下，中职教育就会有所依托，也有人才继续流通的合理渠道，就会被激发活力。相较于逐渐被大众认可的企业实践与培训的“质变期”，中职教育阶段的职业启蒙与渗透则时常被忽视。究其原因，其中不乏基础教育阶段应试教育的遮蔽，但主要还是人们对高技能人才培养的长期性以及起点的重要性认识不足。

长期以来，高技能人才成长的起点一直被默认为进入高职的第一天，然而“社会所需要的各种人才，并不是单凭某一类或某一层次教育就能完成和实现的，必然要在相对完整的国民教育体系中通过多种类型多种层次的教育共同培养”，因而中职教育早期培育至关重要，也为中职教育与高职教育的衔接赋予了可能。立足于人才培养的整体性，中职教育与高职教育的衔接并不是两种教育形式“门对门”的机械对接，而是两种不同的教育类型与层次之间以人的发展为核心的各组成要素之间的融合，具体表现为“人才培养目标、教育理念、课程设置、教学方法的一体化和融通性设计”，促进职业教育在其“内部核心教育层面形成有机衔接”。

目前，许多高职院校按照专业相同或相近、优势互补的原则，开展“3+2”中高职教育衔接办学试验。比如高职院校中的北京吉利大学、北京北大方正软件技术学院等。所谓中高职“3+2”模式，即学生在完成3年中职教育后再接受2年高职教育，毕业后取得相应中等和高等职业教育学历证书及相关职业等级(资格)证书。这样的衔接机制不失为发展职业教育的选择。

四、建立高职教育内涵发展模式

高职教育走向内涵发展，表现在人才培养上就是高技能人才的内涵发展。高技能人才是一个社会性概念，其内涵会随着社会的发展变化而不断变迁，是一个动态的、发展的概念。具体而言，高技能人才内涵的现代流变主要体现在从对工具性技能的崇拜到对人性的回归。尤其是在新一轮科技革命迅猛袭来的当下，“机器换人”的不断扩展已经对此做了充分证明。所以，内涵发展的高技能人才不再是技能的简单化身，而是愈发凸显其作为“人”的存在，换言之，高技能人才已经从被技能架空的“机器”变成了将技能悬置的“人”。高技能人才内涵结构中的沟通、人际交往、组织和计划以及创造性解决问题等能力不断彰显，此外，精益求精、敬业奉献等情感性素养支撑的工匠精神也逐渐成为高技能人才的核心代名词。可以看出，高技能人才内涵发展依赖于“内在驱动性”，且这种“内在驱动性”在高技能人才的内涵结构中占据着重要地位。因此，当下决定一个人能否成为高技能人才的关键不在于他拥有多么专业与娴熟的技能，而在于他对这门技能与职业是否具有“内在驱动性”，内心深处是否对所从事的职业产生较高的认同。

“内在驱动性”的形成是长期的且形成后是相对稳定的，它多生成于高技能人才成长的早期并对其后发展具有深刻影响。因为这种“内在驱动性”本质上是“人如何认同自我、期许自我，这对于一个人今后的发展绝非可有可无，而是至关重要”，“这意味着蕴含在个体早期发展中的自我情感以及这种体验中隐含的个体对自我的认同、期待，若隐若现地成为个体其后发展的内在支持”。而这种长期的“内在驱动性”恰恰是我国高技能人才培养中最为缺乏的。所以，从高技能人才内涵中蕴含的“内在驱动性”来看，做好职业渗透可以实现对潜在生源的早期识别与引导，观照学生的现实处境与精神状况，促进高技能人才种子的萌芽。

参考文献

著作类

[1] [德]伊曼努尔·康德. 论教育学[M]. 赵鹏,何兆武,译. 上海: 世纪出版集团,2005.
[2] [美]赫钦斯,R. M. 民主社会中教育的冲突[M]//任钟印. 世界教育名著通览. 武汉: 湖北教育出版社,1994.
[3] [德]雅斯贝尔斯. 什么是教育[M]. 邹进,译. 北京: 生活·读书·新知三联书店出版,1991.
[4] [德]马克思. 资本论(第一卷)[M]. 北京: 人民出版社,2004.
[5] [加]迈克尔·富兰. 变革的力量——透视教育改革[M]. 北京: 教育科学出版社,2004.
[6] 张焕庭. 西方资产阶级教育论著选[M]. 北京: 人民教育出版社,1964.
[7] 联合国教科文组织. 教育——财富蕴藏其中[M]. 联合国教科文组织总部中文科,译. 北京: 教育科学出版社,1996.
[8] 中华职业教育社. 黄炎培教育文选[M]. 上海: 上海教育出版社,1985.
[9] 张家祥,钱景舫. 职业技术教育学[M]. 上海: 华东师范大学出版社,2001.
[10] 谢维和,等. 中国高等教育大众化进程中的结构分析——1998—2004 年的实证研究[M]. 北京: 教育科学出版社,2007.
[11] 潘慧武. 台湾地区教育体系与大学概览[M]. 北京: 九州出版社,2011.
[12] 胡卫. 中国教育现代化进程研究[M]. 北京: 教育科学出版社,2010.
[13] 谈松华. 中国教育现代化的区域发展[M]. 广州: 广东教育出版社,2003.
[14] 郝克明. 中国教育体制改革 20 年[M]. 郑州: 中州古籍出版社,1998.
[15] 郝克明. 当代中国教育结构体系研究[M]. 广州: 广东教育出版社,2001.
[16] 孙绵涛. 教育管理学[M]. 北京: 人民教育出版社,2006.
[17] 周三多等. 管理学——原理与方法[M]. 上海: 复旦大学出版社. 2003.
[18] 吴家玮. 同创香港科技大学——初创时期的故事和人物志[M]. 北京: 清华大学出版社,2007.
[19] 陈平原. 中国大学十讲[M]. 上海: 复旦大学出版社,2002.
[20] 李文利. 从稀缺走向充足——高等教育的需求与供给研究[M]. 北京: 教育科学出版社,2008.
[21] 曲士培. 中国大学教育发展史[M]. 太原: 山西教育出版社,1993.
[22] 许美德. 21 世纪中国大学肖像[M]. 桂林: 广西师范大学出版社,2015.
[23] 许美德. 圆满: 一个加拿大学者的中国情愫[M]. 周勇,译. 北京: 教育科学出版社,2007.
[24] 荀渊,刘信阳. 从高度集中到放管结合——高等教育变革之路[M]. 上海: 华东师范大

学出版社，2018.
[25] 余立. 中国高等教育史（下册）[M]. 上海：华东师范大学出版社，1994.
[26] 王文源. 中国民办教育：在理想与现实之间[M]. 北京：北京出版社，2007 年版：31。
[27] 袁贵仁. 中国教育[M]. 北京：北京师范大学出版社，2013：36.
[28] 田慧生，邓友超. 让十三亿人民享有更好更公平的教育———十八大以来教育质量提升的成就与经验[M]. 北京：教育科学出版社 2017：79，83.
[29] 北京市科学技术情报研究[M]. 北京国民经济基本情况资料汇编，1981.
[30] 何杰，伍红林. 当代中国基础教育改革的理论与实践[M]. 南京：南京大学出版社，2011.
[31] 中国教育科学研究院课程教学研究中心. 中国基础教育课程改革十年[M]. 武汉：湖北教育出版社，2013.
[32] 刘英杰. 中国教育大事典（1949—1990）[M]. 杭州：浙江教育出版社，1992.
[33] 宋萑. 教师专业共同体研究[M]. 北京：北京师范大学出版社，2015.
[34] 中华人民共和国教育部. 义务教育语文课程标准[M]. 北京：北京师范大学出版社，2012.
[35] 单中惠. 西方教育思想史[M]. 北京：教育科学出版社，2007.
[36] 鲁武霞. 职业教育的阶梯：高职专科与应用型本科衔接[M]. 北京：高等教育出版社，2015.
[37] Shin J C，Kehm B M. The World-Class University Across Higher Education Systems：Similarities，Differences，and Challenges [M]. Springer. 2013.
[38] Harbison，F. & Myers. A. Education Manpower and Economic Growth，the Strategies of Human Resource Development [M]. McGraw hill，NewYork，1964.

论文类

[1] 熊丙奇. 自主招生与高考公平[J]. 探索与争鸣. 2011(12).
[2] 柳海民、王澍. 中国义务教育实施三十年：成就、价值与展望[J]. 北京大学教育评论，2016(4).
[3] 习近平. 做党和人民满意的好老师——同北京师范大学师生代表座谈时的讲话[J]. 人民教育，2014(19).
[4] 张耀萍. 高考形式与内容改革研究——基于利益博弈的视角[D]. 厦门大学，2007.
[5] 高奇. 职业教育功能[J]. 中国职业技术教育，2005(5).
[6] 杨叔子. 现代大学与人文教育[J]. 高等教育研究，1999(4).
[7] 姚加惠. 略论美国各级各类高等教育的衔接与沟通[J]. 宁波大学学报（教育科学版），2009(1).
[8] 郅庭瑾，马云，雷秀峰，等. 教师专业心态的当下特征及政策启示——基于上海的调查研究[J]. 教育研究，2014(2).
[9] 沈伟，陈玉华，黄小瑞. 初中教师的工作状态：基于 Z 市的实地调研[J]. 全球教育展望，2016，45(12).
[10] 童星. 初中教师工作时间及其影响因素研究——基于中国教育追踪调查（CEPS）数据

的分析[J]. 教师教育研究，2017，29(2).
[11] 李新翠. 中小学教师工作量的超负荷与有效调适[J]. 中国教育学刊，2016(2).
[12] 李梅. 中小学新教师工作满意度影响因素的实证研究[J]. 教师教育研究，2013，25(5).
[13] 穆洪华，胡咏梅，刘红云. 中学教师工作满意度及其影响因素研究[J]. 教育学报，2016(2).
[14] 胡鞍钢，王洪川. 中国教育现代化：全面释放巨大红利[J]. 清华大学教育研究，2016(4).
[15] 胡鞍钢. 中国现代化之路(1949—2014)[J]. 新疆师范大学学报(哲学社会科学版)，2015(3).
[16] 杨东平. 教育现代化：一种价值选择[J]中国教育学刊，1994(2).
[17] 王兆详. 从"教育救国"到"科教兴国"——中国教育现代化的历史探索[J]. 天津大学学报(社会科学版)，2005(9).
[18] 顾明远. 试论教育现代化的基本特征[J]. 教育研究，2012(9).
[19] 顾明远. 实现教育现代化的宏伟蓝图——学习贯彻《国家中长期教育改革和发展规划纲要》[J]. 北京师范大学学报(社会科学版)，2010(5).
[20] 顾明远. 关于教育现代化的几个问题[J]. 中国教育学刊，1993(3).
[21] 段作章. 关于教育现代化的理论思考[J]. 教育学(人大复印资料)，1997(8).
[22] 刘晖，熊明. 我国教育现代化研究述评[J]. 教育现代化导刊，2006(6).
[23] 董众，王秀军，张钰. 教育现代化发展评价指标体系研究[J]. 教育发展研究，2012(21).
[24] 张莉. 中国教育现代化进程统计监测研究[J]. 统计与信息论坛，2014(10).
[25] 杨小微. 教育现代化的路径选择[J]. 人民教育，2014(20).
[26] 杨小微. 教育现代化评价之核心指标三问[J]. 教育科学研究，2015(7).
[27] 周毅. 现代化理论的六大流派及其特点[J]. 当代世界与社会主义，2003(2).
[28] 袁本涛. 教育现代化及其基本特征浅论[J]. 辽宁高等教育研究，1999(2).
[29] 刘尧. 对教育现代化若干问题的思考[J]. 上海教育科研，1999(5).
[30] 褚宏启. 教育现代化的本质与评价——我们需要什么样的教育现代化[J]. 教育研究，2013(11).
[31] 田正平，李江源. 教育制度变迁与中国教育现代化进程[J]. 华东师范大学学报(教育科学版)，2002，20(1).
[32] 杨小微. 在教育现代化进程中反思"现代性"[J]. 基础教育，2014，11(1).
[33] 郑金洲. 教育现代化与教育本土化[J]. 华东师范大学学报(教育科学版)，1997(3).
[34] 张乐天. 20 世纪 80 年代以来我国教育体制改革的重要政策指引[J]. 复旦教育论坛，2011(9).
[35] 劳凯声. 回眸与前瞻：我国教育体制改革 30 年概观[J]. 教育学报，2015(10).
[36] 陈桂生. "制度化教育"评议[J]. 上海教育科研，2000(2).
[37] 孙绵涛，王刚. 我国现代学校制度建设的成就、问题与对策[J]. 教育研究，2013(11).
[38] 翟振元. 素质教育：当代中国教育改革发展的战略主题[J]. 中国高教研究，2015(5).
[39] 陈纯槿，郅庭瑾. 教育财政投入能否有效降低教育结果不平等——基于中国教育追踪调查数据的分析[J]. 教育研究，2017(7).
[40] 王锐兰，张辉，江波. 高等教育非均衡发展的现实思考[J]. 教育研究，1994(3).

[41] 胡炳仙. 我国重点大学制度的历史沿革与问题[J]. 高教发展与评估,2011,27(5).
[42] 熊丙奇. 对"高校富豪榜"的评说[J]. 上海教育评估研究,2015(10).
[43] 赵可,史静寰,孙海涛. 美国联邦政府建设一流大学的政策分析[J]. 清华大学教育研究,2009(8).
[44] 耿有权. 论美国世界一流大学建设模式的战略构建[J]. 外国教育研究,2010(10).
[45] 刘念才,程莹,刘莉,赵文华. 我国名牌大学离世界一流有多远[J]. 高等教育研究,2002(3).
[46] 傅林,胡显章. 追寻大学理想——清华大学办学理念的形成与发展[J]. 清华大学教育研究,2005(6).
[47] 徐美娜,王光荣. "什么是世界一流"大学——普林斯顿大学的诠释[J]. 中国高教研究,2009(11).
[48] 朱亚宗. 近观与反思——美国一流大学初识[J]. 学位与研究生教育,2007(7).
[49] 刘自团. 新兴世界知名高校的发展机制及其启示[J]. 研究生教育研究,2011(6).
[50] 教育部. 世界一流学科的中国标准是什么[J]. 教育院/系/研究所名录,2016(9).
[51] 吴越. 世界一流大学的学科建设理念——基于 MIT 的个案研究[J]. 西北师范大学学报(社会科学版),2010,47(2).
[52] 罗云,孙东平. 世界一流大学学科建设的基本经验及其启示[J]. 高等理科教育,2006(3).
[53] 江小华,张蕾. 洛桑联邦理工学院建设世界一流大学的国际化策略及效果分析[J]. 高等教育评论,2017(1).
[54] 王建华. 一流学科评估的理论探讨[J]. 大学教育科学,2012(3).
[55] 宣勇. 大学学科建设应该建什么[J]. 探索与争鸣,2016(7).
[56] 武建鑫. 学科生态系统：核心主张、演化路径与制度保障——兼论世界一流学科的生成机理[J]. 高校教育管理,2017,11(5).
[57] 郭书剑,王建华. 论一流学科的制度建设[J]. 高校教育管理,2017,11(2).
[58] 周伟. 法国高等教育发展战略及其启示[J]. 世界教育信息,2017(7).
[59] 胡佳,严同辉. 2007 年法国综合大学改革述评[J]. 高等教育研究,2008(3).
[60] 边新灿. 高校综合评价招生改革：演进逻辑、模式选择和对策分析[J]. 教育研究,2017(7).
[61] 褚宏启. 高考改革何处是尽头？[J]. 中小学管理,2017(8).
[62] 崔海丽. 暂缓实施"一科两考",稳步推进高考改革[J]. 教育发展研究,2017(12).
[63] 杜瑞军,洪成文. 我国新一轮高考改革的路径及挑战——教育家对话企业家微论坛纪要[J]. 中国高教研究,2016(5).
[64] 樊丽芳,乔志宏. 新高考改革倒逼高中强化生涯教育[J]. 中国教育学刊,2017(3)：67－71.
[65] 傅维利. 我国高考改革的困境、出路及新方案设计[J]. 教育研究,2009(7).
[66] 贺静霞. 高考教育功能的异化及其回归[J]. 中国教育学刊,2016(5).
[67] 黄全愈. 教育以"考"为本还是以人为本[J]. 湖北招生考试[J],2005(2).
[68] 李禹阶. 汪荣. 我国高考的历史与现状及其发展趋向窥探[J]. 重庆师范大学学报(哲学社会科学版),2010(5).

[69] 刘海峰. 高考改革的回顾与展望[J]. 教育研究,2007(11).
[70] 刘海峰. 以考促学：高等教育考试的功能与影响[J]. 厦门大学学报,2002,(2).
[71] 李立峰. 高考改革：困境、反思与展望[J]. 国家教育行政学院学报,2009(8).
[72] 李娟,谢君婷. 美国大学招生制度改革的历史变迁——中等教育与高等教育衔接的视角[J]. 外国教育研究,2015(7).
[73] 李志涛. 发达国家高校招生考试制度及对我国高考改革的启示[J]. 基础教育参考,2014(5).
[74] 李辉,袁桂林. 大学人才选拔机制的转变[J]. 国家教育行政学院学报,2014(3).
[75] 陆一萍,韦小满. 新一轮高考改革中分数体系的建构[J]. 教育科学,2017,33(1).
[76] 秦春华. 什么是大学招生的专业化[J]. 华东师范大学学报(教育科学版),2017(1).
[77] 瞿振元. 坚持科学选才与促进公平的有机统一[J]. 中国高教研究,2014(10).
[78] 索丰,常波. 韩国大学招生制度及其实施效果研究[J]. 外国教育研究,2014(12).
[79] 田学和. 新一轮高考改革考试成绩组成方式探析[J]. 中国考试,2015(4).
[80] 王洪席. 高中学生综合素质评价：误读与澄清[J]. 中国教育学刊,2016(3).
[81] 武小鹏,张怡,张钧波. 韩国高考制度的演变及思考[J]. 教育测量与评价,2017(5).
[82] 熊丙奇. 对地方高考改革要有理性评价[J]. 上海教育评估研究,2016(6).
[83] 杨学为. 高考改革与国情[J]. 求是,1999(5).
[84] 叶琴. 韩国大学招生考试制度改革及其启示[J]. 中国电子教育,2005,19(1).
[85] 袁振国. 提高高校招生能力是深化考试招生制度改革的关键[J]. 华东师范大学学报(教育科学版),2017(1).
[86] 袁振国. 中国特色高考制度的改革创新之路[J]. 人民教育,2017(12).
[87] 袁振国,周彬. 以改革姿态迎接新高考改革[J]. 人民教育,2016(14).
[88] 袁卫,张若男. 美国大学招生制度改革的新"潮流"如何凸显教育公平——基于《"扭转潮流"报告》的审视[J]. 湖北招生考试,2016(6).
[89] 张硕. 当代美国大学入学考试制度伦理性分析[J]. 课程教育研究：学法教法研究,2016(24).
[90] 郑若玲,陈斌. 高校招生综合评价录取改革的困境与出路[J]. 高等教育研究,2014(10).
[91] 郑若玲. 高考与应试教育、素质教育关系新论[J]. 教育发展研究,2007(Z1).
[92] 郑英耀,方德隆,庄胜义,等. 大学经济弱势学生入学及就学扶助政策分析与建议[J]. 教育科学研究期刊,2015.
[93] 周海涛,景安磊. 招考分离的意义、内涵和路径[J]. 中国高教研究,2014(10).
[94] 霍骁象,赵哲. 中高职课程衔接问题的调查研究[J]. 中国成人教育,2009(15).
[95] 张健. 对中高职课程有机衔接的思考[J]. 教育与职业,2012(2).
[96] 别敦荣. 论高等教育内涵式发展[J]. 中国高教研究,2018(06).
[97] 丛春秋. 我国高等教育大众化的公共政策分析[J]. 山西高等学校社会科学学报,2012,24(01).
[98] 董泽芳. 高校人才培养模式的概念界定与要素解析[J]. 大学教育科学,2012(3).
[99] 郭为禄. 以综合改革的思路创新人才培养模式——教育综合改革国家试点框架下的上海实践[J]. 中国大学教学,2018(07).

[100] 黄明东，查强. 中国高等教育大众化进程的历史考察与分析[J]. 设计艺术研究，2009，28(1).
[101] 黄靖洋，邬璇. 中国高等教育扩张与政策范式转移——间断均衡的视角[J]. 中国公共政策评论. 2015(0).
[102] 金子元久，徐国兴. 高等教育发展的中国模式：来自日本的观察[J]. 教育发展研究，2006(9).
[103] 李立国，薛新龙. 建立以人才培养定位为基础的高等教育分类体系[J]. 教育研究，2018(3).
[104] 刘宝存，肖军. 改革开放40年高等教育的成就与展望[J]. 河北师范大学学报(教育科学版)，2018，20(05).
[105] 刘晖，邹艳春. 中国地方大学发展的回顾与反思——兼议高等教育发展的"中国模式"[J]. 高等教育研究，2011(2).
[106] 刘尧. 如何看待高等教育发展的"中国模式"问题[J]. 江苏高教，2012(1).
[107] 祁占勇，李莹. 改革开放40年来我国高等教育政策的演进逻辑与理性选择[J]. 高等教育研究，2018，39(04).
[108] 陶学文. 我国高等教育大众化政策实施十年之回顾与反思[J]. 湖南师范大学教育科学学报，2011，10(02).
[109] 王庆华，张婷，张李斌. 从"211工程"到"双一流"：我国建设世界一流大学政策变迁的内在机理[J]. 社会科学家，2017(11).
[110] 王胜今，赵俊芳. 中国高等教育60年历程[J]. 现代教育科学，2009(03).
[111] 许文. 斯坦福大学发展模式对我国地方本科高校转型发展的启示[J]. 黑龙江高教研究，2017(10).
[112] 薛二勇，傅王倩. 发展公平而有质量的教育——中国教育改革和发展的形势与政策分析[J]. 中国青年社会科学，2018，37(03).
[113] 查强，史静寰，王晓阳，等. 是否存在另一个大学模式？——关于中国大学模式的讨论[J]. 复旦教育论坛，2017，15(2).
[114] 郑文，陈伟. 我国高等教育发展的多维特色：中国模式探索[J]. 教育研究，2012(7).
[115] 柯政. 从整齐划一到多样选择：改革开放40年中国课程改革之路[J]. 全球教育展望，2018(3).
[116] 高玉旭. 改革开放40年来我国基础教育课程改革回顾与展望[J]. 上海教育科研，2018(09).
[117] 吴长法，王琪，李本友. 新中国基础教育课程改革的历程与趋势[J]. 课程. 教材：教法，2016(5).
[118] 杨旻旻，连进军. 新课程改革的超越、困境与坚守[J]. 当代教育科学，2016(13).
[119] 郝志军. 基础教育课程改革反思与推进建议[J]. 西北师范大学学报(社会科学版)，2017，54(5).
[120] 蔡清田，邓旭. 改革开放四十年我国课程改革图示分析与发展理路[J]. 国家教育行政学院学报，2018(3).
[121] 翟博. 人类教育史上的奇迹[J]. 中国教育报，2012年9月9日。
[122] 刘贵华、张伟. 论区域教育的中国经验[J]，大学(研究版)，2016(3)。

[123] “素质教育的概念、内涵及相关理论”课题组. 素质教育的概念、内涵及相关理论[J]. 教育研究，2006(02).
[124] 王俭. 关于素质教育政策的思考[J]. 教育理论与实践，2000(01).
[125] 钟启泉. 课程改革：为每一个学生的发展而教[J]. 现代基础教育研究，2013，9(1).
[126] 钟启泉，有宝华. 发霉的奶酪——《认真对待“轻视知识”的教育思潮》读后感[J]. 全球教育展望，2004，33(10).
[127] 钟启泉. 概念重建与我国课程创新——与《认真对待“轻视知识”的教育思潮》作者商榷[J]. 北京大学教育评论，2005(1).
[128] 王策三. 认真对待“轻视知识”的教育思潮——再评由“应试教育”向素质教育转轨提法的讨论[J]. 北京大学教育评论，2004，(3).
[129] 刘硕. 究竟要改什么？———就关于基础教育现行课程五个“过”的判断与有关人士商榷[J]. 学科教育，2003，(6).
[130] 九年义务教育全日制小学、初级中学课程计划(试行)[J]. 人民教育，1992，(9).
[131] 基础教育课程改革纲要(试行)[J]. 人民教育，2001，(9).
[132] 全日制中学暂行工作条例(试行草案)[J]. 安徽教育，1978，(12).
[133] 宋蕾，金慧. 德国双元制职业教育：校企合作培养专业人才的典范——访德国巴登-符腾堡州商会主席、乌尔姆国际学校创始人彼得·库里兹[J]. 世界教育信息，2016，(10).
[134] 聂伟. 德国“双元制”职业教育模式中国化的省思[J]. 中国职业技术教育，2018，(13).
[135] 宋保兰. 澳大利亚 TAFE 职业教育对我国的启示[J]. 教育与职业，2018，(12).
[136] 杨信. 英国现代学徒制发展的历史沿革、特征及启示[J]. 教育与职业，2018，(19).
[137] 鲍威，李珊. 高中学习经历对大学生学术融入的影响——聚焦高中与大学的教育衔接[J]. 清华大学教育研究，2016，(6).
[138] 匡瑛，石伟平. 走向现代化：改革开放 40 年我国职业教育发展之路[J]. 教育与经济，2018，(34).
[139] 刘志扬，黄水平. 改革开放以来我国高等职业教育发展历程回顾[J]. 外语学法教法研究，2015，(17).
[140] 祁占勇，王佳昕，安莹莹. 我国职业教育政策的变迁逻辑与未来走向[J]. 华东师范大学学报(教育科学版)，2018，(36).
[141] 王忠昌. 改革开放 40 年我国职业教育国际化政策的变迁及展望——基于 42 份国家层面政策文本的分析[J]. 职业技术教育，2018，(21).
[142] 匡瑛，石伟平. 改革开放 40 年职业技术教育学科发展的回顾与思考[J]. 教育研究，2018，(10).
[143] 关晶，石伟平. 我国职业教育体系存在的问题及其完善对策[J]. 职业技术教育，2012，(07).
[144] 周忠武. 初中物理探究学习环境的设计与应用研究[D]. 东北师范大学，2012.
[145] 彭志武. 高等职业教育学制研究[D]. 厦门大学，2007.
[146] 刘庆斌. 美国高等职业教育法制化研究[D]. 西北师范大学，2004.
[147] Jun Li，“World-Class Higher Education and the Emerging Chinese Model of the University”，Prospects，42(3)，2012.

报纸类

[1] 王寿斌. 中高职衔接不是简单的“学历嫁接”[N]. 中国教育报，2012－05－30 第 6 版.
[2] 朱永新. 推进教育现代化办人民满意的教育[N]. 江苏教育报，2017(5).
[3] 王蓉. 如何建立兼顾公平与效率的教育财政体制机制？[N]. 人民教育，2015(23).
[4] 尹后庆. 质量时代的教研转型[N]. 人民教育，2016(20).
[5] 顾明远. 要充分发挥教育对文化的传播、选择、创新功能[N]. 人民教育，2016(14).
[6] 黄达人. 充分体现国家意志，注重体现办学特色[N]. 中国教育报，2017－9－22.
[7] 陆根书. “双一流”是对以西方发达国家为中心的世界一流大学发展模式和高等教育体系的超越[N]. 文汇教育，2017－9－30.
[8] 晋浩天. “双一流”建设为什么是“他们”成功入选[N]. 光明日报，2017－9－22.
[9] 评论员. 建设中国特色的“双一流”[N]. 光明日报，2017－9－22.
[10] 张文显. 正确把握“中国特色”与“世界一流”的内涵关系[N]. 中国教育报，2017－9－22.
[11] 田爱丽. 新高考后，学校如何转型发展[N]. 中国教育报，2017－06－21.
[12] 谢维和. 高等学校的三种入学形式——从高考制度改革的“兼顾原则”及其变量说起[N]. 中国教育报，2012－12－12.
[13] 解放日报. 新高考改革：从“育分”走向“育人”[N]. http://newspaper. jfdaily. com/jfrb/html/2016-09/14/content_216856. htm. 2017－09－18.
[14] 浙沪高考改革试点，试出哪些问题[N]. 澎湃新闻，2017－07－28.
[15] 郑钰. 高校招生综合素质评什么　几大措施为评价“保真”[N]. 文汇报，
[16] “双一流”建设，绝不是再讲一遍“211”“985”的故事[N]. 人民日报，2017－9－21.
[17] 建设中国特色的“双一流”[N]. 光明日报，2017－9－22.
[18] 入围“双一流”，只是迈向世界一流的起点[N]. 解放日报，2017－9－22.
[19] “双一流”是改革求变之举[N]. 经济日报，2017－9－26.
[20] 解读：“双一流”如何选出？因何而设？意味什么？[N]. 半月谈，2017－9－22.

其他类

[1] 刘君玲. 1978 年以来我国高考政策的研究——价值观念的变迁及其启示[G]. 山东大学硕士学位论文集，2004.
[2] 王红兵. 试论我国高考改革的历史、现状和发展前景——兼论高考历史试题的变化[G]. 华中师范大学硕士学位论文集，2003.
[3] 麦可思调查公司. 2010 大学生就业报告[R]. 北京：社会科学文献出版社，2010：32.
[4] 2016 年联合国开发计划署. 全球人类发展报告[R]，2016.
[5] 中华人民共和国国家统计局编. 中国统计年鉴(2017)[Z]，中国统计出版社，2017.
[6] 中国人力资源市场信息监测中心. 2011 年度全国部分城市公共就业服务机构市场供求状况分析[EB/OL]. http://www. mohrss. gov. cn/SYrlzyhshbzb/jiuye/zcwj/JYzonghe/201203/t20120306_86746. html.
[7] 2012—2016 年《中国统计年鉴》
[8] 香港特区政府统计处. 2015、2016、2017 年收入及工时按年统计调查报告[EB/OL].

http://www.censtatd.gov.hk/gb/?param=b5uniS&url=http://www.censtatd.gov.hk/hkstat/sub/sp210_tc.jsp?productCode=B1050014.
[9] 杨东平. 百年回首：中国教育现代化之梦[EB/OL]. http://www.aisixiang.com/data/5062.html.
[10] 2016年全国教育事业发展统计公报[EB/OL]. http://www.moe.edu.cn/jyb_sjzl/sjzl_fztjgb/201707/t20170710_309042.html.
[11] 2016年度人力资源和社会保障事业发展统计公报[EB/OL]. http://www.mohrss.gov.cn/ghcws/BHCSWgongzuodongtai/201705/t2017.
[12] 人民网.《国家人权行动计划(2016—2020年)》[EB/OL]. http://politics.people.com.cn/n1/2016/0929/c1001-28750180.html.
[13] 2010年第六次全国人口普查主要数据公报[EB/OL]. http://www.gov.cn/test/2012-04/20/content_2118413.htm.
[14] 杨东平. 中国教育制度和教育政策的变迁[EB/OL]. http://www.aisixiang.com/data/6728.html.
[15] 谈松华. 教育改革的历史轨迹：制度改革与制度创新——在纪念《中共中央关于教育体制改革的决定》颁布三十周年大型论坛上的演讲[EB/OL]. http://blog.sina.com.cn/s/blog_4cbe9c200102w4ns.html.
[16] 安徽网. 新高考改革后，高中教学如何调整？[EB/OL]http://www.ahwang.cn/anhui/20170913/1681025.shtml.
[17] 陆一. 统一命题与自主招生[EB/OL]. http://www.aisixiang.com/data/77442.html.
[18] 秋风. 高考应当去国家化[EB/OL]. http://www.aisixiang.com/data/19301.html.
[19] 信力建. 改革不止于高考制度[EB/OL]. http://www.aisixiang.com/data/25653.html.
[20] 国家统计局，高等学校年度数据[EB/OL][2018-07-18]http://data.stats.gov.cn/search.htm? =s=%E6%99%AE%E9%80%9A%E9%AB%98%E7%AD%89%E5%AD%A6%E6%A0%A1.
[21] 中华人民共和国教育部. 教育部关于全面深化课程改革落实立德树人根本任务的意见[EB/OL]. http//www.moe.edu.cn/srcsite/A26/s7054/201404/t20140408_167226.html.